1

PASSAPORTE PARA PORTUGUÊS

Caderno de Exercícios

Níveis A1/A2

Robert Kuzka / José Pascoal

EMPRESA PROMOTORA
DA LÍNGUA PORTUGUESA

LIDEL
Lidel – edições técnicas, lda

EMPRESA PROMOTORA
DA LÍNGUA PORTUGUESA

A **Lidel** adquiriu este estatuto através da assinatura de um protocolo com o **Camões – Instituto da Cooperação e da Língua,** que visa destacar um conjunto de entidades que contribuem para a promoção internacional da língua portuguesa.

EDIÇÃO E DISTRIBUIÇÃO

Lidel – Edições Técnicas, Lda
Rua D. Estefânia, 183, r/c Dto – 1049-057 Lisboa
Tel: +351 213 511 448
lidel@lidel.pt
Projetos de edição: editoriais@lidel.pt
www.lidel.pt

LIVRARIA

Av. Praia da Vitória, 14 A – 1000-247 Lisboa
Tel: +351 213 511 448
livraria@lidel.pt

Copyright © 2014, Lidel – Edições Técnicas, Lda.
ISBN edição impressa: 978-972-757-976-1
1.ª edição impressa: setembro 2014
Reimpressão de outubro 2021

Conceção de *layout* e paginação: Pedro Santos
Impressão e acabamento: Cafilesa – Soluções Gráficas, Lda. – Venda do Pinheiro
Dep. Legal: n.º 380205/14

Capa: Tiago Veras
Imagem da capa: © Tiago Veras

Ilustrações: Tiago Veras

Imagens: www.istockphoto.com; www.fotolia.com; Robert Kuzka

Glossário:
Tradução: Ana Hermida Ruibal (Português-Espanhol), Nailia Baldé (Português-Russo), Robert Kuzka (Português-Inglês), Ye Zhiliang (Português-Mandarim)
Revisão: Robert Kuzka

Todos os nossos livros passam por um rigoroso controlo de qualidade, no entanto, aconselhamos a consulta periódica do nosso *site* (www.lidel.pt) para fazer o *download* de eventuais correções.

ÍNDICE

COMUNICAÇÃO	VOCABULÁRIO	PRONÚNCIA	GRAMÁTICA
cumprimentar, identificar pessoas, apresentar-se, despedir-se	números 0-20, dias da semana	vogais, sílabas, acento, letra **o**	**ser** e **chamar-se**, pronomes pessoais, artigo definido, **como** e **quem**

A. Faça a correspondência entre as colunas.

1. Muito — a. tarde!
2. Como b. dia!
3. Boa c. bem?
4. Até → d. prazer!
5. Bom e. está?
6. Tudo f. logo!

B. Complete os diálogos.

1. A: *Como* se chama?
   B: Sara Vieira.

2. A: Olá, como está?
   B: Bem, obrigada. E _____?

3. A: _____ o Jorge?
   B: Sim, sou.
   A: Bem-_____ a Lisboa!

4. A: Olá, tudo bem?
   B: _____ bem, obrigada.

5. A: _____ é ele?
   B: Ele? Não _____.

C. Complete com os verbos da caixa.

> se chama / ~~sou~~ / chama-se
> és / é / te chamas

1. *Sou* a Rita. *(eu)*
2. Ela _____ Teresa.
3. Como _____? *(tu)*
4. Não sei quem ele _____.
5. Quem _____? *(tu)*
6. Como _____? *(você)*

D. Escreva as expressões da caixa nos balões.

> Obrigada!   Muito gosto!   Até amanhã!

1

2

3

E. Complete com *me*, *te* ou *se*.

1. Como se chama?
2. Ele chama-_____ Rafael.
3. Chamo-_____ Ricardo.
4. Como _____ chamas?
5. O senhor chama-_____ Rui Guerra?
6. Chamas-_____ António?
7. Como _____ chama ela?

F. Complete com *o* ou *a* onde necessário.

1. Sou a Ana.
2. Chamo-me _____ Sónia.
3. És _____ Anabela?
4. Ele é _____ Jorge Viegas.
5. Ela chama-se _____ Teresa Pereira.

G. Escreva frases com as palavras dadas.

1. Joana / sou / a
   Sou a Joana.
2. sei / és / não / quem
   _____.
3. próxima / até / à
   _____!
4. Ricardo / chama / ele / se
   _____?

H. Escreva as letras que faltam nos dias da semana.

1. S E G U N D A - F E I R A
2. S _ B _ _ _
3. T _ _ _ A - F E I R A
4. S _ _ T A - F E I R A
5. Q _ _ N _ A - F E I R A
6. _ _ _ _ N _ O
7. _ _ _ R T _ - F E I R A

I. Escreva o dia da semana que falta.

1. segunda-feira, terça-feira, quarta-feira
2. _____, sábado, segunda-feira
3. terça-feira, quinta-feira, _____
4. _____, quinta-feira, sexta-feira
5. sexta-feira, _____, terça-feira

J. Escreva os números por extenso.

3	três
7	_____
12	_____
20	_____
8	_____
11	_____
17	_____
4	_____
2	_____
6	_____

K. Despedidas e/ou cumprimentos? Assinale com ✔.

1. Bom dia!		
2. Até amanhã!		
3. Adeus!		
4. Boa noite!		
5. Até logo!		

L. Sublinhe as palavras em que a letra *o* é pronunciada como [u].

nove   chamo   cinco   doze   bom

M. Sublinhe as palavras com duas sílabas.

muito   quem   chamas   sábado   desculpe

N. Sublinhe as palavras com três sílabas.

amanhã   prazer   senhor   próxima

UNIDADE 2

SOU DE LISBOA

COMUNICAÇÃO
falar sobre origem, localizar cidades

VOCABULÁRIO
números 21-100, países, cidades

PRONÚNCIA
acento, letra **s**

GRAMÁTICA
ser e **ficar**, pronomes pessoais, artigo definido, preposições **de** e **em**, **onde**

A. Escreva os nomes dos países da caixa por baixo dos mapas.

França Itália Portugal Grécia
Brasil Alemanha Suécia Polónia

1. _____

2. _____

3. _____

4. _____

5. _____

6. _____

7. _____

8. _____

B. Que país é este? Escreva as letras que faltam.

1. R Ú S S I A
2. I _ _ L _ A
3. _ _ _ N A

4. _ _ X I C _
5. _ _ D I A
6. B _ _ _ _ L

C. Corrija as frases.

1. Nelly Furtado é dos Estados Unidos. *(Canadá)*
   Nelly Furtado não é dos Estados Unidos. É do Canadá.

2. Woody Allen é de Londres. *(Nova Iorque)*

   _____

   _____

3. Penélope Cruz é do México. *(Espanha)*

   _____

   _____

4. Dulce Pontes é de Espanha. *(Portugal)*

   _____

   _____

5. Madonna é de Itália. *(Estados Unidos)*

   _____

   _____

6. Kate Winslet é da Alemanha. *(Inglaterra)*

   _____

   _____

D. Responda às perguntas.

1. Onde é Lisboa?
   Em Portugal.
2. Onde é Hamburgo?
   _____.
3. Onde é São Paulo?
   _____.
4. Onde é Madrid?
   _____.
5. Onde é Luanda?
   _____.

E. Sublinhe as frases em que pode substituir *é* por *fica*.

1. Quem é ele?
2. Onde é Boston?
3. O Felipe é do Brasil.
4. Berlim é na Alemanha.

F. Complete com a palavra que falta.

1. A: De onde *és*?
   B: Sou de Lisboa.
2. A: _____ fica Sevilha?
   B: Em Espanha.
3. A: _____ de Lisboa?
   B: Não, somos do Porto.
4. A: Ele é _____ Brasil?
   B: É, sim.
5. A: _____ onde é ela?
   B: Da Rússia.
6. A: Eles _____ de Itália?
   B: Não sei.

G. Escreva o pronome no plural.

1. eu   *nós*   4. tu _____
2. você _____   5. ele _____
3. o senhor _____ 6. ela _____

H. Complete com *de/da/do/dos* ou *em/na/no/nos*.

1. Coimbra é *em* Portugal.
2. Ela é _____ Angola.
3. Tóquio é _____ Japão.
4. Somos _____ Suécia.
5. Atenas é _____ Grécia.
6. Miami é _____ Estados Unidos.
7. A Vanessa é _____ Rio de Janeiro.
8. O Josh é _____ Estados Unidos.

I. Escreva frases com as palavras dadas.

1. do / Janeiro / de / somos / Rio
   Somos do Rio de Janeiro.
2. é / em / Paris / Itália / não
   _____.
3. é / ele / onde / de
   _____?
4. são / elas / Portugal / não / de
   _____.
5. em / fica / Lyon / França
   _____.
6. Lisboa / o / é / Paulo / de
   _____.

J. Escreva o número que falta.

1. trinta, *quarenta*, cinquenta
2. cinquenta, setenta, _____
3. _____, cinquenta, setenta e cinco
4. trinta e três, _____, noventa e nove
5. sessenta, _____, cem

K. Sublinhe a sílaba com acento.

Brasil China França Marrocos

L. Sublinhe as palavras em que a letra *s* é pronunciada como [ʃ].

nós senhor isto Moscovo Espanha

UNIDADE 3 — FALO PORTUGUÊS

COMUNICAÇÃO	VOCABULÁRIO	PRONÚNCIA	GRAMÁTICA
perguntar sobre nacionalidades e línguas, localizar pessoas	números 101-1000, nacionalidades, línguas	vogais nasais, acento, letra **s**, pares mínimos	nacionalidades (género e número), verbos em **-ar**, **estar**, **ser** *vs.* **estar**

A. Reescreva as frases usando o pronome e a nacionalidade.

1. A Wilma é da Suécia.
   Ela é sueca.

2. A Anastasia é da Ucrânia.
   _____.

3. A Daniela e a María são de Espanha.
   _____.

4. A Tomoko e o Takeshi são do Japão.
   _____.

5. A Khadija é de Marrocos.
   _____.

6. O Josiah é dos Estados Unidos.
   _____.

7. O Johannes e a Anke são da Alemanha.
   _____.

8. A Diya é da Índia.
   _____.

B. Que línguas são estas?

1. Sto imparando il portoghese.
   É italiano.

2. Jag lär mig portugisiska.
   É _____.

3. J'apprends le portugais.
   É _____.

4. I'm learning Portuguese.
   É _____.

5. Ich lerne Portugiesisch.
   É _____.

C. Escreva frases sobre o conhecimento das línguas de acordo com a informação do quadro.

(3-muito bem, 2-bem, 1-um pouco)

	português	espanhol	inglês	francês	alemão	russo	árabe	japonês	hindi
Martim	3	1	2						
Maxim			1		3	3			
Carla	1	3		1					
Said	2		2	3			3		
Itsuki	1		1					3	
Diya			3						3

1. O Martim fala português muito bem, inglês bem e também fala um pouco de espanhol.

2. O Maxim _____
   _____

3. A Carla _____
   _____

4. O Said _____
   _____

5. O Itsuki _____
   _____

6. A Diya _____
   _____

D. Escreva a forma correta do verbo *morar*.

1. você *mora*   5. tu _____
2. nós _____   6. vocês _____
3. ele _____   7. eu _____
4. eles _____   8. a Ana _____

E. Escreva frases com as palavras dadas.

1. são / elas / chinesas / não

    Elas não são chinesas.

2. russo / bem / falo / muito

    _____.

3. em / Joana / Lisboa / mora / a

    _____.

4. está / Jorge / onde / agora / o

    _____?

5. não / alemã / é / ela

    _____.

6. línguas / a / fala / Ana / que

    _____?

7. no / eles / Porto / moram / não

    _____.

8. de / falamos / japonês / pouco / um

    _____.

F. Escreva as perguntas.

1. Moras em Lisboa?

    Não. Moro em Sintra.

2. _____?

    Não. Estamos no Porto.

3. _____?

    Não, não falo.

4. _____?

    Não, não é. É italiana.

5. _____?

    Bem, obrigado. E tu?

6. _____?

    É a Inês.

7. _____?

    Somos de Portugal.

G. Faça a correspondência entre as colunas.

1. trezentos	a. 600
2. mil	b. 700
3. novecentos	c. 900
4. quatrocentos	d. 300
5. quinhentos	e. 800
6. oitocentos	f. 500
7. seiscentos	g. 1000
8. setecentos	h. 400

H. Complete com *ser*, *estar* ou *falar* na forma correta.

1. Elas não *falam* português.
2. Eles _____ espanhóis.
3. _____ em França. *(nós)*
4. _____ chinês muito bem. *(eu)*
5. Quem _____ eles?
6. Ele não _____ brasileiro.
7. Onde _____ vocês?

I. Responda às perguntas.

1. Onde mora?

    _____

2. Que línguas fala?

    _____

3. É português?

    _____

4. Onde está agora?

    _____

5. Como está?

    _____

6. De onde é?

    _____

J. Qual das palavras abaixo não tem um som nasal? Sublinhe.

sim	bem	um	sou	bom

K. Sublinhe a sílaba com acento.

Japão	brasileiro	chinês	inglesa

COMUNICAÇÃO

fazer perguntas e
perceber instruções
na sala de aula,
identificar objetos
e cores

VOCABULÁRIO

objetos da sala de
aula,
cores

PRONÚNCIA

entoação nas frases
afirmativas
e interrogativas,
som [i]

GRAMÁTICA

isto/isso/aquilo,
artigo indefinido,
género e número dos
nomes e das cores,
o que

A. Olhe para as imagens e complete as frases com *isto*, *isso* ou *aquilo*.

O que é
_____?

1

Como se diz
_____ em
inglês?

2

O que é
_____?

3

_____ é
uma casa?

4

B. Escreva as letras que faltam nas cores.

1. C A S T A N H O
2. _ E R M _ _ _ O
3. B _ A N _ O
4. A M A _ _ _ O
5. P _ _ T O
6. C O R D E _ A R A _ _ _
7. _ E R _ E
8. A _ _ L
9. _ _ N _ E N T O
10. C _ _ D E R O _ _

C. Escreva as frases no plural.

1. É um dicionário de português?
   São dicionários de português?

2. É uma secretária.
   _____.

3. É um quadro de Peter Rubens.
   _____.

4. A cadeira é verde.
   _____.

5. O computador é preto.
   _____.

6. É um livro de Saramago.
   _____.

7. A parede é azul.
   _____.

8. O dicionário é cor de laranja.
   _____.

D. As frases abaixo têm erros. Reescreva-as sem erros.

1. As mesas são ~~verde~~.

   As mesas são verdes.

2. O jornal espanhol é de Pablo.

   _____.

3. O quem é aquilo?

   _____?

4. A secretária da Rita é castanho.

   _____.

5. De que cor são isto?

   _____?

E. Complete com *o*, *a*, *um* ou *uma*.

1. Isto é um jornal italiano.
2. _____ bandeira de Portugal é vermelha e verde.
3. _____ parede é branca.
4. Isso é _____ mesa.
5. Isto é _____ Volvo.
6. Aquilo é _____ dicionário.
7. _____ dicionário é cinzento.
8. _____ cadeira da Ana é preta.

F. Complete com as palavras da caixa.

~~como~~ / pode / não / abram / falem
qual / olhem / o que / trabalhem

1. Como se diz *book* em português?
2. _____ os livros!
3. _____ significa "cadeira"?
4. _____ percebo.
5. _____ em português!
6. _____ repetir?
7. _____ é a página?
8. _____ em pares.
9. _____ para as imagens.

G. Escreva as perguntas.

1. O que é isso?
   É um livro.
2. _____?
   Não, não é. É amarelo.
3. _____?
   É branca.
4. _____?
   Não. É uma secretária.

H. Escreva frases com as palavras dadas.

1. computador / Mac / Nuno / é / um / o / do
   O computador do Nuno é um Mac.
2. branco / do / o / Alexandre / relógio / é
   _____.
3. Suécia / e / azul / é / bandeira / amarela / da / a
   _____.
4. não / jornal / isso / é / um
   _____.
5. o / cor / Rui / computador / que / do / de / é
   _____?
6. se / em / inglês / diz / como / isto
   _____?
7. é / Portugal / isso / de / mapa / um
   _____.
8. que / isso / é / o
   _____?
9. de / são / paredes / laranja / as / cor
   _____.

I. Sublinhe a sílaba com acento.

onde   dezoito   preto   árabe

J. Sublinhe a palavra em que a letra destacada é pronunciada de forma diferente das outras.

ond**e**   d**e**zoito   pr**e**to   árab**e**

NO AVIÃO

A. Complete as letras que faltam.

1. A Ç Ú C A R
2. C H _
3. L I M _ _
4. C _ F _
5. S U _ _
6. C E _ _ _ _ A
7. _ _ U A
8. V I _ _ O

B. Complete o diálogo com as palavras da caixa.

faz com mais não sim ou

A: Café ou[1] chá?

B: Um chá, _____[2] favor.

A: _____[3] açúcar?

B: _____[4]. E com limão.

A: _____[5] alguma coisa?

B: _____[6], obrigada.

C. Reescreva o diálogo corrigindo os erros.

A: Água, faz favor!

B: Aí está.

A: E também uma café.

B: Faz favor.

A: Obrigada muito.

A: *Uma água, faz favor!*

B: _____

A: _____

B: _____

A: _____

D. Leia e ordene as frases do diálogo.

☐ Com gás?

☐ Obrigada.

☐ Sim, um café.

☐ Faz favor. Mais alguma coisa?

☐ Sim. E com limão.

[1] Uma água, faz favor!

☐ Faz favor.

VOCABULÁRIO QUE DEVE SABER USAR:

UNIDADE 1

chamar-se
ser

a segunda(-feira)
a terça(-feira)
a quarta(-feira)
a quinta(-feira)
a sexta(-feira)
o sábado
o domingo

zero,
um, dois,
três, quatro,
cinco, seis,
sete, oito,
nove, dez,
onze, doze,
treze, catorze,
quinze, dezasseis,
dezassete, dezoito,
dezanove, vinte

eu, tu, você
ele/ela
o senhor/a senhora
Dr./Dr.ª
sim
e

Adeus!
Até à próxima!
Até amanhã!
Até já!
Até logo!
Bem-vindo/a
Boa noite!
Boa tarde!
Bom dia!
Como está?
Desculpe!
Muito gosto!
Muito prazer!
Não sei.
Obrigado/a!
Olá!
Tudo bem?
Como...?
Quem...?

UNIDADE 2

a Alemanha
Angola
o Brasil
a China
(a) Espanha
os Estados Unidos
(a) França
a Grécia
a Índia
(a) Inglaterra
(a) Itália
o Japão
Marrocos
o México
a Polónia
Portugal
a Rússia
a Suécia
a Ucrânia

trinta
quarenta
cinquenta
sessenta
setenta
oitenta
noventa
cem

nós
vocês
eles/elas
não
isto
de
em

Onde (fica)...?

UNIDADE 3

estar
falar
morar

a língua

alemão
americano
angolano
árabe
brasileiro
chinês
espanhol
francês
grego
indiano
inglês
italiano
japonês
marroquino
mexicano
polaco
português
russo
sueco
ucraniano

cento e..., duzentos,
trezentos, quatrocentos,
quinhentos, seiscentos,
setecentos, oitocentos,
novecentos, mil

agora
bem
mas
muito
só
também
um pouco

Que...?

UNIDADE 4

a bandeira
a cadeira
o computador
a cor
o dicionário
a janela
o jornal
o livro
o mapa
a mesa
a parede
a porta
o quadro
o relógio
a sala de aula
a secretária

amarelo
azul
branco
castanho
cinzento
cor de laranja
cor de rosa
preto
verde
vermelho

aquilo
isso

Como se diz...?
Como se escreve...?
Não compreendo!
Não me lembro!
Não percebo!
O que significa...?
Pode escrever?
Pode repetir?
Qual é a página?
O que...?

PORTUGUÊS EM AÇÃO 1

o açúcar	a cerveja	o sumo	ou
a água	o chá	o vinho	Mais alguma coisa?
o avião	o gás	com	Aqui está!
o café	o limão	sem	por/faz favor

UNIDADE 5

TENHO CARTA DE CONDUÇÃO

COMUNICAÇÃO
pedir objetos,
localizar objetos
e pessoas,
expressar posse

VOCABULÁRIO
objetos pessoais,
locais

PRONÚNCIA
ditongo [ẽj],
letra **r**,
dígrafo **rr**,
frases com **é que**

GRAMÁTICA
ter,
expressão **é que**,
possessivos,
aqui/aí/ali

A. Escreva o artigo definido e os nomes no plural.

1. *a* garrafa — *as garrafas*
2. _____ mala — _____
3. _____ lápis — _____
4. _____ passaporte — _____
5. _____ telemóvel — _____
6. _____ moeda — _____
7. _____ caneta — _____
8. _____ cigarro — _____
9. _____ chave — _____
10. _____ carteira — _____

B. Escreva o pronome ou a forma do verbo *ter*.

1. você *tem*
2. ele _____
3. _____ temos
4. eles _____
5. _____ tens
6. vocês _____
7. _____ tenho
8. o Hugo _____

C. Responda às perguntas.

1. A: Tem um lápis? *(+)*
   B: *Tenho.*
2. A: Tem uma caneta vermelha? *(-)*
   B: *Não, não tenho.*
3. A: Têm as chaves de casa? *(+)*
   B: _____.
4. A: Ele tem passaporte francês? *(-)*
   B: _____.
5. A: Vocês têm dinheiro? *(-)*
   B: _____.
6. A: Tens água? *(-)*
   B: _____.

D. Olhe para as imagens e complete as frases com *aqui*, *aí* ou *ali*.

1. A minha caneta está *aí* na tua secretária.
2. O quadro de Leonardo da Vinci está _____.

3. Os óculos de sol não estão _____?
4. O Pedro está _____.

E. Faça frases escrevendo o verbo na forma correta e acrescentando os artigos e as preposições necessárias. Não mude a ordem das palavras.

1. óculos / Pedro / estar / ali
   Os óculos do Pedro estão ali.
2. minha / mala / estar / tua / secretária
   _____.
3. sua / carta / condução / estar / aqui
   _____.
4. casa / amarela / ser / nossa
   _____.

F. Complete com *no*, *na* ou *em*.

1. Ela está *na* rua agora.
2. Estamos _____ escritório.
3. Não estou _____ casa.
4. A chave não está _____ carro.
5. O telemóvel está _____ mala.

G. Reformule as frases usando o possessivo.

1. Tenho uma caneta preta.
   A minha caneta é preta.
2. Ela tem um carro verde.
   _____ é verde.
3. Temos uma casa no Porto.
   _____ é no Porto.
4. O senhor tem passaporte português.
   _____ é português.
5. Tens uma mala castanha.
   _____ é castanha.
6. Tenho um telemóvel Nokia.
   _____ é um Nokia.
7. Tens um lápis amarelo.
   _____ é amarelo.
8. A senhora tem um relógio suíço.
   _____ é suíço.
9. Vocês têm um dicionário chinês.
   _____ é chinês.
10. Elas têm um computador Asus.
    _____ é um Asus.
11. O senhor tem uma carteira preta.
    _____ é preta.
12. Ele tem um livro azul.
    _____ é azul.
13. Temos uma mesa cinzenta.
    _____ é cinzenta.
14. Eles têm um jornal brasileiro.
    _____ é brasileiro.
15. Você tem um telemóvel cor de rosa.
    _____ é cor de rosa.

H. Responda às perguntas.

1. De quem é isto? *(eu)*
   É meu.
2. De quem é o carro preto? *(José)*
   É do José.
3. De quem é a caneta verde? *(ela)*
   É _____.
4. De quem é a mala azul? *(nós)*
   _____.
5. De quem é aquilo? *(o senhor)*
   _____.
6. De quem é a casa amarela? *(eles)*
   _____.
7. De quem é a chave? *(tu)*
   _____.
8. De quem é isso? *(você)*
   _____.

I. Escreva frases com as palavras dadas.

1. que / onde / mora / é
   Onde é que mora?
2. é / estão / que / chaves / onde / as
   _____?
3. fala / é / línguas / que / que
   _____?
4. que / se / é / chama / como
   _____?
5. está / que / aí / o / é / que
   _____?
6. na / é / tem / o / mala / que / que
   _____?

J. Sublinhe a palavra em que as letras destacadas são pronunciadas de forma diferente das outras.

1.	obrigado	**R**oma	carteira	parede
2.	garrafa	rua	euro	cigarro
3.	**s**ecretária	país	**s**ueco	vo**ss**o

SOU ESTUDANTE

COMUNICAÇÃO
soletrar palavras,
pedir e dar dados
pessoais,
preencher uma ficha

VOCABULÁRIO
profissões
e atividades,
alfabeto,
dados pessoais

PRONÚNCIA
som [ê],
dígrafo **ss**,
letra **s**

GRAMÁTICA
ordinais 1-10,
género das profissões,
ordem das palavras,
qual e **quanto**

A. Escreva as letras que faltam nas profissões e atividades.

1. J O R N A L I S T A
2. _ _ F E R _ E I R O
3. P _ _ F E _ _ O R
4. E S T _ D _ _ T _
5. A _ _ O G A _ O
6. S E _ _ _ T _ _ I O
7. _ N _ _ N _ E I R O
8. I _ _ _ R M _ _ I C O
9. A _ _ I Z
10. _ _ _ _ _ _ C A S A
11. E _ _ R _ _ _ D O _ _ M E S A
12. M _ _ _ C O
13. A L _ _ O
14. C _ N _ _ R

B. Escreva o artigo definido e os nomes no plural.

1. *o* ano   os anos
2. ___ nome   _____
3. ___ idade   _____
4. ___ atriz   _____
5. ___ andar   _____
6. ___ profissão   _____
7. ___ prédio   _____
8. ___ apartamento   _____
9. ___ apelido   _____
10. ___ nacionalidade   _____

C. Faça a correspondência entre as colunas.

1. estado   a. nome
2. código   b. de telemóvel
3. número   c. de telefone
4. último   d. postal
5. número   e. civil

D. Complete as perguntas com as palavras que faltam e responda.

1. Qual é o seu nome?
   _____.

2. ____ ____ escreve ____ seu último nome?
   _____.

3. ____ ____ ____ sua morada?
   _____.

4. ____ ____ andar mora?
   _____.

5. ____ ____ ____ seu número ____ telemóvel?
   _____.

6. ____ idade tem?
   _____.

7. ____ ____ o seu ____ postal?
   _____.

8. ____ ____ ____ sua profissão?
   _____.

9. ____ ____ seu ____ civil?
   _____.

10. ____ ____ ____ ____ nacionalidade?
    _____.

E. Escreva as palavras/expressões abaixo na coluna esquerda da ficha.

código postal

primeiro nome

idade

profissão

último nome

número de telefone

morada

número de B.I. ou passaporte

estado civil

nacionalidade

e-mail

FICHA DE INSCRIÇÃO

1.	Erika
2.	Gabler
3.	28
4.	alemã
5.	T222000128
6.	casada
7.	advogada
8.	Augsburger Straße, 41, Berlim
9.	10719
10.	(49) 30 503 82 77
11.	erikamn@yahoo.de

F. Escreva a forma correta de *quanto*.

1. quant*as* línguas
2. quant____ países
3. quant____ cidades
4. quant____ dinheiro

G. Complete as frases com as palavras da caixa.

sua	nossa	dela	seu	minha	~~dele~~

1. Ele é italiano. O apelido *dele* é Ciancio.
2. A: Qual é o nome do _____ país?
   B: Moldávia.
3. Somos estudantes. O último nome da _____ professora é Gonçalves.
4. A: Qual é a _____ morada?
   B: A _____ morada é Rua da Boavista, 28.
5. Ela é de Espanha. O primeiro nome _____ é Rocío.

H. Escreva o número correspondente.

1. um — *primeiro*
2. cinco — _____
3. _____ — décimo
4. dois — _____
5. _____ — sexto
6. quatro — _____
7. _____ — terceiro
8. oito — _____
9. _____ — nono
10. sete

I. Sublinhe a palavra em que as letras destacadas são pronunciadas de forma diferente das outras.

solteiro	profi**ss**ão	ca**s**ado	**s**étimo

UNIDADE 7

GOSTO DA MINHA CIDADE

COMUNICAÇÃO	VOCABULÁRIO	PRONÚNCIA	GRAMÁTICA
descrever lugares, expressar gostos	adjetivos	letra **z**, dígrafo **ch**, som [ʃ], pares mínimos	**gostar**, contrações de **de/em**, adjetivos, **porque**

A. Faça as palavras cruzadas.

Horizontal:

4. O oposto de *grande*.
6. O oposto de *antipático*.
8. _____ Iorque fica nos Estados Unidos.
10. _____ dia!
11. O oposto de *caro*.
12. O oposto de *nova*.

Vertical:

1. A Somália é um país muito _____.
2. O oposto de *bom*.
3. Lindo.
5. Donald Trump é muito _____.
7. Bentley é um carro muito _____.
9. A cidade portuguesa de Tomar tem 800 anos. É muito _____.

B. Olhe para as imagens e complete as frases com *bastante* ou *muito*.

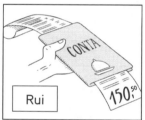

Vasco

Luís

1. O hotel do Vasco é *bastante* velho.
2. O hotel do Luís é *muito* velho.

Rui

Raul

3. O restaurante do Rui é _____ caro.
4. O restaurante do Raul é _____ caro.

Ana

Vanessa

5. A Ana é _____ antipática.
6. A Vanessa é _____ antipática.

Manuel

Pedro

7. A cidade do Manuel é _____ antiga.
8. A cidade do Pedro é _____ antiga.

C. Escreva o artigo e os nomes no plural.

1. _a_ cidade _as cidades_
2. _____ parte _____
3. _____ restaurante _____
4. _____ hotel _____
5. _____ pessoa _____

D. Complete.

1. de + isto = _disto_
2. em + _____ = nisso
3. de + aquilo = _____
4. _____ + aquilo = naquilo
5. de + _____ = disso
6. em + isto = _____

E. Complete as perguntas com a interrogativa.

1. A: _Qual_ é o seu número de telefone?
   B: 21 321 33 66.
2. A: _____ é o teu hotel?
   B: É muito bom.
3. A: _____ é que não gostas da tua cidade?
   B: Porque é feia.
4. A: _____ línguas fala?
   B: Japonês e inglês.
5. A: _____ é o restaurante "Alma Lusitana"?
   B: No centro da cidade.
6. A: _____ é?
   B: Sou eu, o Pedro.
7. A: _____ é isto?
   B: É do Tiago.
8. A: _____ cor é o teu carro?
   B: É cinzento.
9. A: _____ línguas falas?
   B: Duas.
10. A: _____ é o Martim?
    B: É muito simpático.
11. A: _____ está no teu quarto?
    B: O Samuel.

F. Complete com o adjetivo correto.

1. É um _bom_ carro. *(bom/boa)*
2. É uma _____ profissão. *(bom/boa)*
3. O restaurante é _____. *(mau/má)*
4. A mesa é _____ *(mau/má)*.

G. Responda às perguntas com *gosto* ou *gostamos*.

1. Gostas de sumo de laranja?
   Gosto.
2. O Vasco gosta de chá verde?
   _____.
3. Vocês gostam de chá de limão?
   _____.
4. Gosta de água com gás?
   _____.
5. Gostam de café sem açúcar?
   _____.

H. Escreva frases com as palavras dadas.

1. gosta / Fátima / rua / dela / da / não / a
   A Fátima não gosta da rua dela.
2. centro / cidade / longe / estamos / do / da
   _____
3. restaurantes / no / são / Porto / como / os
   _____?
4. uma / Coimbra / pequena / bastante / é / cidade
   _____
5. fora / estamos / país / de / do / férias
   _____
6. perto / a / fica / minha / da / casa / tua
   _____

I. Sublinhe a palavra em que as letras destacadas são pronunciadas de forma diferente das outras.

1. tre**z**e   cin**z**ento   pra**z**er   fa**z**
2. **ch**ave   **g**osto   **s**egundo   hi**st**órico

UNIDADE 8

TRABALHO NUM ESCRITÓRIO

COMUNICAÇÃO	VOCABULÁRIO	PRONÚNCIA	GRAMÁTICA
falar sobre rotinas profissionais e escolares, dar opiniões	locais de trabalho, palavras para descrever o trabalho	acento, letra **h**, sons [n] e [ɲ]	**de/em + um(a)**, **muito** e **pouco**, preposição **por**

A. Escreva as palavras que faltam.

1. Um *advogado* trabalha num escritório.
2. Um enfermeiro trabalha num _____.
3. Um _____ trabalha numa escola.
4. Um empregado de mesa trabalha num

   _____.
5. Um _____ trabalha num ateliê.
6. Um ator trabalha num _____.
7. Uma _____ doméstica trabalha numa casa.

B. Escreva as palavras que faltam.

1. Ela trabalha *em* casa.
2. Quantos dias trabalhas _____ semana?
3. De que é que gostas _____ teu trabalho?
4. Trabalhas _____ escritório?
5. _____ vezes, trabalho _____ noite.
6. Ela gosta _____ viajar.
7. Trabalho _____ o João e a Teresa.

C. Escreva o artigo definido e os nomes no plural.

1. *o* restaurante — *os restaurantes*
2. _____ universidade — _____
3. _____ hospital — _____
4. _____ dia — _____
5. _____ colega — _____
6. _____ teatro — _____
7. _____ trabalho — _____
8. _____ semana — _____
9. _____ hora — _____
10. _____ empresa — _____

D. Escreva *muito* ou *pouco* na forma correta.

1. muit*o* trabalho
2. muit____ horas
3. muit____ empregados
4. muit____ dias
5. muit____ dinheiro
6. muit____ cerveja
7. pouc____ água
8. pouc____ cantores
9. pouc____ leite
10. pouc____ vinho
11. pouc____ empresas
12. pouc____ pessoas

E. Complete com os verbos da caixa.

> ~~ganha~~ viajo usam estuda
> ganhas trabalhamos estudar
> falamos tens trabalhas

1. A Milena *ganha* muito dinheiro.
2. _____ em casa. *(nós)*
3. O Pedro _____ numa universidade em Londres.
4. _____ muito. *(eu)*
5. Eles _____ muito o computador no trabalho.
6. A Joana não gosta de _____ sozinha.
7. Tu _____ à noite?
8. _____ uma chefe muito difícil.
9. Às vezes, _____ francês no trabalho. *(nós)*
10. Tu não _____ bem.

F. Leia a informação e escolha a profissão da Sara, da Carla, do Jorge e da Célia.

1.
_____

A Sara trabalha num escritório.

Fala muito ao telefone. Tem um chefe.

Não ganha bem.
_____

A Sara é...

a. atriz.

b. secretária.

c. empregada doméstica.

2.
_____

A Carla viaja muito. Trabalha com muitas

pessoas. Fala línguas. Tem uma secretária.

Ganha muito bem.
_____

A Carla é...

a. enfermeira.

b. professora.

c. empresária.

3.
_____

O Jorge trabalha à noite. Trabalha com

muitas pessoas. Não usa telefone

e não usa computador. Tem uma chefe.

Não ganha muito.
_____

O Jorge é...

a. arquiteto.

b. empregado de mesa.

c. informático.

4.
_____

A Célia trabalha numa casa. Não viaja

e não fala línguas. Não trabalha à noite.

Ganha pouco.
_____

A Célia é...

a. advogada.

b. cantora.

c. empregada doméstica.

G. Faça a correspondência entre as perguntas e as respostas.

1. Ganha bem?   g

2. Quantos dias trabalha por semana?   _____

3. Onde é que trabalha?   _____

4. De que é que gosta no seu trabalho?   _____

5. De que é que não gosta no seu trabalho? _____

6. Quantas horas trabalha por dia?   _____

7. Como é o seu chefe?   _____

8. Com quem trabalha?   _____

a. É interessante.

b. Oito ou nove.

c. É muito antipático.

d. Com muitas pessoas.

e. É um trabalho difícil.

f. Cinco.

g. Muito bem.

h. Num escritório.

H. Descreva o seu trabalho ou o de uma pessoa que conhece bem.

_____

_____

_____

_____

_____

_____

I. Sublinhe a sílaba com acento.

trabalham   profissão   gostam   alemão

J. Sublinhe a palavra em que a letra *n* é pronunciada de forma diferente das outras.

ano   ganho   pequeno   caneta

NA FRONTEIRA

A. Complete o diálogo com as palavras da caixa.

---
estadia   trabalho   tempo

motivo   vez   ~~passaporte~~   hotel

profissão   semana

A: O seu passaporte[1], faz favor.

B: Aqui está.

A: Qual é o _____[2] da sua visita?

B: _____[3].

A: Qual é a sua _____[4]?

B: Sou médica.

A: Quanto _____[5] fica em Portugal?

B: Uma _____[6].

A: Fica num _____[7]?

B: Fico, sim.

A: É a sua primeira _____[8] em Portugal?

B: Não, é a terceira.

A: Boa _____[9]!

B. Complete as frases com a preposição correta.

1. Estou aqui _____ trabalho.

2. Estou aqui _____ férias.

3. Ela está aqui _____ estudar.

C. Responda com o verbo.

1. A: Tem passaporte?

   B: *Tenho.*

2. A: Está de férias?

   B: _____.

3. A: Trabalha numa escola?

   B: _____.

4. A: Fica em Lisboa?

   B: _____.

5. A: É a sua primeira vez em Lisboa?

   B: _____.

VOCABULÁRIO QUE DEVE SABER USAR:

UNIDADE 5

ter

o B.I.
a caneta
o carro
a carta de condução
a carteira
a casa
a chave
a cidade
o cigarro
o dinheiro
a escola
o escritório
a garrafa
o lápis
a mala
a mochila
a moeda
a nota
os óculos (de sol)
o país
o passaporte
a pasta
a rua
o telemóvel

aí
ali
aqui
meu/minha
teu/tua
seu/sua
dele/dela
nosso/nossa
vosso/vossa
deles/delas
se calhar

Pois!

UNIDADE 6

o advogado
o aluno
o ator/a atriz
o cantor
a dona de casa
o empregado de mesa
o enfermeiro
o engenheiro
o/a estudante
o informático
o/a jornalista
o médico
o professor
o secretário

o andar
o apartamento
o prédio
o rés do chão (R/C)
Dto.
Esq.

o ano
o apelido
o código postal
o estado civil
a idade
a letra
a morada
a nacionalidade
o nome
o número
a profissão
o telefone

primeiro, segundo,
terceiro, quarto,
quinto, sexto,
sétimo, oitavo,
nono, décimo

casado
completo
divorciado
solteiro
último

Qual...?
Quanto...?

UNIDADE 7

gostar

o centro
o hotel
a parte
a pessoa
o quarto
o restaurante

antigo
antipático
barato
bom/boa
bonito
caro
feio
grande
histórico
lindo
mau/má
moderno
novo
pequeno
pobre
rico
simpático
velho
bastante
fora
longe
perto
de férias

Boas férias!
Porque...?

UNIDADE 8

achar
estudar
ganhar
trabalhar
usar
viajar

o arquiteto
o ateliê
o/a chefe
o/a colega
o dia
a empregada doméstica
o empresário
a empresa
a hora
o hospital
a pergunta
a semana
o teatro
o trabalho
a universidade

difícil
interessante
pronto
sozinho
felizmente
infelizmente
normalmente
pouco
até
por
à noite
às vezes

PORTUGUÊS EM AÇÃO 2

ficar
o aeroporto
a fronteira
a noite
o tempo
a visita
a vez
em trabalho
para estudar
Boa estadia!

© Lidel – Edições Técnicas, Lda.

UNIDADE 9 · TENHO UM IRMÃO

COMUNICAÇÃO
apresentar a família
e pessoas próximas

VOCABULÁRIO
família e pessoas
próximas

PRONÚNCIA
sons [l] e [ʎ],
acento,
pares mínimos

GRAMÁTICA
possesivos,
demonstrativos
variáveis

A. Escreva a forma feminina ou masculina.

1. o pai   a mãe
2. o irmão   _____
3. _____   a filha
4. o rapaz   _____
5. _____   a tia
6. o marido   _____
7. _____   a namorada
8. o homem   _____
9. _____   a amiga
10. o avô   _____
11. _____   a neta
12. o primo   _____

B. Escreva as palavras que faltam.

1. O meu primo chama-se Pedro.
   Sou a *prima* do Pedro.
2. O meu neto chama-se Rui.
   Sou a _____ do Rui.
3. A minha irmã chama-se Susana.
   Sou o _____ da Susana.
4. O meu filho chama-se Luís.
   Sou a _____ do Luís.
5. O meu pai chama-se António.
   Sou a _____ do António.
6. A minha avó chama-se Leonilde.
   Sou a _____ da Leonilde.
7. A minha namorada chama-se Ana.
   Sou o _____ da Ana.

C. Escreva o artigo definido e os nomes no plural.

1. _o_ filho   *os filhos*
2. ___ mãe   _____
3. ___ pai   _____
4. ___ irmão   _____
5. ___ irmã   _____
6. ___ homem   _____
7. ___ rapaz   _____

D. Escreva as frases no plural.

1. Este é o meu filho.
   Estes são os meus filhos.
2. Esta é a tua irmã.
   _____.
3. Aquele é o seu livro.
   _____.
4. Esse é o nosso chefe.
   _____.
5. Essa é a vossa casa.
   _____.
6. Aquela é a tia dele.
   _____.
7. Este é o dicionário dela.
   _____.
8. Esse é o seu pai.
   _____.
9. Aquela é a nossa neta.
   _____.

E. Olhe para as imagens e complete as frases com *este*, *esse* ou *aquele* na forma correta.

1. De quem é _____ casa?

2. _____ caneta é minha!

3. _____ livro é muito interessante.

4. _____ não é a tua namorada?

5. _____ são os meus pais.

F. Complete as frases com as palavras da caixa.

ainda	solteira	única
já	divorciada	~~casada~~

1. A Ana não tem marido. Não é casada.

2. A Beatriz não tem irmãos. É filha _____.

3. A minha avó _____ não trabalha. Tem 83 anos.

4. A Célia já tem 33 anos, mas _____ é estudante.

5. A Alice já não tem marido. É _____.

6. A Ana tem um filho, mas não tem marido. É mãe _____.

G. A Ana está a descrever uma fotografia da família à sua amiga Paula. Complete as frases com as palavras da caixa.

está (2x)	estás	esta (2x)	estas	~~este~~

Ana: Este[1] é o meu avô. E _____[2] é a minha avó.

Ela _____[3] em Coimbra agora. _____[4] é a minha mãe. Ela _____[5] agora em França. _____[6] são as minhas primas.

Paula: E aqui _____[7] tu!

H. Sublinhe a palavra em que a letra *l* é pronunciada de forma diferente das outras.

aquele	mulher	família	lindo

UNIDADE 10

TENHO OLHOS AZUIS

COMUNICAÇÃO
descrever a aparência física e os estados fisiológicos

VOCABULÁRIO
aparência física, estados fisiológicos, gostos e hábitos

PRONÚNCIA
letra **x**, sibilantes, formas verbais, ligações vocálicas

GRAMÁTICA
ler e **ver**, **ser** *vs.* **estar**, **qual**

A. Faça a correspondência entre as palavras com significado oposto.

1. magro   a. baixo
2. claro   b. moreno
3. branco   c. gordo
4. loiro   d. preto
5. alto   e. comprido
6. curto   f. escuro

B. Escreva as palavras que faltam.

1. O meu irmão *tem* barba.
2. A minha irmã é casada _____ um espanhol.
3. O meu irmão é de _____ média.
4. A minha tia tem _____ de 50 anos.
5. A minha mãe _____ óculos.
6. O meu pai tem _____ escuros.
7. A Rita tem _____ curto.

C. Escolha duas pessoas da sua família ou amigos e descreva a aparência física deles.

1. O meu _____ é _____
   _____
   _____
   _____
   _____

2. A minha _____ é _____
   _____
   _____
   _____
   _____

D. Olhe para as imagens e corrija as frases.

1. A Mafalda tem cabelo curto.

   A Mafalda tem cabelo comprido.

2. O Jorge está com calor.

   _____

3. A Sofia está com fome.

   _____

4. O Miguel é careca.

   _____

E. Faça a correspondência entre as colunas.

1. ver	a. jornais
2. ler	b. óculos
3. dançar	c. cigarros
4. usar	d. televisão
5. fumar	e. tango

F. Escreva...

F junto às palavras relacionadas com a **família**,

E junto às palavras relacionadas com a **escola**,

A junto às palavras relacionadas com a **aparência física**,

T junto às palavras relacionadas com o **trabalho**,

G junto às palavras relacionadas com os **gostos**.

1. primo	F	11. ganhar	___
2. barba	___	12. filme	___
3. gordo	___	13. dicionário	___
4. tia	___	14. dançar	___
5. marido	___	15. dinheiro	___
6. televisão	___	16. aula	___
7. estudante	___	17. ler	___
8. sogra	___	18. aluno	___
9. escritório	___	19. loiro	___
10. chefe	___	20. careca	___

G. Complete com o verbo na forma correta.

1. A Maria não lê muito. (*ler*)

2. Eles _____ televisão à noite. (*ver*)

3. Os pais da Susana _____ muito. (*fumar*)

4. Eu e a minha irmã _____ bem. (*cantar*)

5. _____ bem? (*tu/cozinhar*)

6. _____ salsa. (*nós/dançar*)

7. _____ poucos livros. (*eu/ler*)

8. Eles gostam de _____. (*cozinhar*)

H. Complete com *ser* ou *estar* na forma correta.

1. Ela é muito magra.

2. Não _____ com fome agora. (*eu*)

3. Xangai _____ uma cidade grande.

4. A irmã dele _____ muito antipática.

5. _____ moreno ou loiro? (*tu*)

6. Acho que _____ doente. (*eu*)

7. _____ com frio? (*tu*)

8. Este hotel _____ caro.

9. _____ muito cansados. (*nós*)

10. A Sara _____ com sono.

11. Olá! _____ boa? (*tu*)

12. _____ casada. (*eu*)

13. _____ de férias. (*nós*)

I. As frases abaixo têm erros. Reescreva-as sem erros.

1. Como são os ~~filho~~ da Diana?

Como são os filhos da Diana?

2. Qual são as tuas canetas?

_____.

3. O que é que gostas a ver na televisão?

_____.

4. O Jorge está em calor.

_____.

5. O Daniel é com altura média.

_____.

6. A Sara tem cabelos curtos.

_____.

7. A minha irmã está muito baixa.

_____.

8. Ela é casado com um brasileiro.

_____.

J. Sublinhe a palavra em que as letras destacadas são pronunciadas de forma diferente das outras.

1.	óculo**s**	próxima	e**s**tudante	baixo
2.	dan**ç**ar	**s**ono	interes**s**ante	rapa**z**

VOU MUITO À PRAIA

11

COMUNICAÇÃO	VOCABULÁRIO	PRONÚNCIA	GRAMÁTICA
falar sobre gostos e tempos livres	gostos e tempos livres	letra **g**	**ir**, preposição **a**, **a + o/a**

A. Escreva o artigo definido e os nomes no plural.

1. *o* ginásio — *os ginásios*
2. _____ cinema — _____
3. _____ cão — _____
4. _____ animal — _____
5. _____ filme — _____
6. _____ clube — _____
7. _____ bar — _____
8. _____ gato — _____
9. _____ revista — _____
10. _____ jogo — _____
11. _____ praia — _____

B. Complete as frases com as palavras da caixa.

jogos   cinema   clube   ~~dia~~

1. Sábado é o meu *dia* da semana preferido.
2. Gosto muito de _____ de computador.
3. O meu _____ de futebol é o Benfica.
4. Nicole Kidman é uma atriz de _____.

C. Complete as expressões com os verbos da caixa.

ter   ~~ir~~   jogar   passar   estudar   gostar

1. *ir* à praia
2. _____ ténis
3. _____ um cão
4. _____ as férias em casa
5. _____ de música clássica
6. _____ Medicina

D. Leia a conversa entre a Sónia e o Miguel e complete as perguntas.

Miguel: *Onde é que moras*[1], Sónia?

Sónia: Em Lisboa. No centro da cidade.

Miguel: _____[2]?

Sónia: Não. Moro com os meus pais e com a minha irmã.

Miguel: _____[3] ou gato?

Sónia: Tenho um cão. Chama-se Micas. Tem 3 anos.

Miguel: _____ ou _____[4]?

Sónia: Estudo.

Miguel: _____[5]?

Sónia: Medicina. Na Universidade de Lisboa. E tu? Também _____[6]?

Miguel: Não. Eu já trabalho. Sou engenheiro.

Sónia: E _____[7] trabalho?

Miguel: Gosto, sim. Ganho bem.

Sónia: _____[8], Miguel?

Miguel: Claro que sim. Adoro música.

Sónia: Quais _____ cantoras _____[9]?

Miguel: Nina Simone, Adele e Amy Winehouse.

Sónia: Não _____[10] portuguesa?

Miguel: Gosto, sim. Gosto de Dulce Pontes, de Carminho e de David Fonseca.

Sónia: Onde _____[11] férias?

Miguel: No Algarve, na praia. Os meus pais têm uma casa no Algarve.

Sónia: _____[12]?

Miguel: Muito. Adoro jogar ténis e ver futebol na televisão.

E. Olhe para a tabela e complete as frases.

(00: detestar, 0: não gostar, +: gostar, ++: adorar)

	Raul	Sofia	Ana	Tânia
praia	+	00	00	++
sushi	++	++	0	0
discotecas	+	0	++	00
ginásio	++	0	00	0
desporto	+	00	0	+
cães	+	+	++	+
natureza	0	++	0	++

1. O Raul e a Sofia *adoram sushi*.
2. A Sofia e a Ana _____.
3. O Raul e a Ana _____.
4. A Tânia _____ e desporto.
5. A Sofia _____ nem de ginásio.
6. A Sofia _____ e natureza.
7. A Ana _____ e cães.
8. A Tânia não _____.

F. Escreva o pronome ou a forma do verbo *ir*.

1. você *vai*
2. ele _____
3. _____ vamos
4. eles _____
5. _____ vais
6. vocês _____
7. eu _____
8. o Hugo _____

G. Faça frases escrevendo o verbo na forma correta e acrescentando os artigos, as conjunções e as preposições necessárias. Não mude a ordem das palavras.

1. João / Ana / ir / teatro
   O João e a Ana vão ao teatro.
2. eu / Jorge / ir / praia

   _____
3. meus / filhos / estar / praia / agora

   _____
4. Pedro / Diogo / ir / compras

   _____
5. eles / ir / cinema / noite

   _____

H. Escreva frases com as palavras dadas.

1. é / teus / passam / onde / os / férias / pais / que
   Onde é que os teus pais passam férias?
2. é / teu / preferido / qual / o / filme

   _____?
3. de / gostas / não / indiana / porque / comida / / é / que

   _____?
4. futebol / de / nem / não / ela / ténis / gosta / de

   _____.
5. sozinha / a / de / Cristina / gosta / não / morar

   _____.
6. da / casa / o / uma / irmão / Algarve / Ana / no / / tem

   _____.

I. Complete as frases como no exemplo usando as palavras da caixa.

> livro / clube de futebol / animal / filme
> país / dia da semana / cidade / ~~música~~
> ator / cantora / desporto

1. *A minha música preferida* é o fado.
2. _____ é o domingo.
3. _____ é o ténis.
4. _____ é o gato.
5. _____ é "Titanic".
6. _____ é o Johnny Depp.
7. _____ é Berlim.
8. _____ é "Ulisses".
9. _____ é a Beyoncé.
10. _____ é o Brasil.
11. _____ é o Real Madrid.

J. Sublinhe a palavra em que a letra *g* é pronunciada de forma diferente das outras.

1. gato   ginásio   jogo   gordo
2. gelo   giro   relógio   água

COMUNICAÇÃO	VOCABULÁRIO	PRONÚNCIA	GRAMÁTICA
falar sobre gostos e hábitos, escrever um *e-mail* informal	gostos e hábitos	letra **c**, letras **b** e **v**	interrogativas de confirmação, **cá** e **lá**

A. Complete as expressões com os verbos da caixa.

andar   tomar   ~~almoçar~~   pagar
estacionar   apanhar   jantar

1. *almoçar*   fora
2. _____ sol
3. _____ de bicicleta
4. _____ banho
5. _____ fora
6. _____ o carro
7. _____ o estacionamento

B. Escreva frases com as palavras dadas.

1. carro / no / estaciono / passeio / não / meu / o
   Não estaciono o meu carro no passeio.

2. passa / sábados / Jorge / casa / em / os / o
   _____.

3. está / marido / o / Portugal / da / fora / Helena / / de
   _____.

4. é / gostas / sol / porque / de / que / não / / apanhar
   _____?

5. tenho / brasileira / muito / em / música / / interesse
   _____.

6. Paula / amigos / a / Espanha / em / procura
   _____.

C. Complete as frases com as preposições.

1. O meu irmão está *no* cinema.
2. Adoro tomar banho _____ mar.
3. O meu cão gosta de andar _____ carro.
4. Estaciono o carro _____ parque.
5. Sou muito boa _____ línguas.
6. O Rui fala inglês, francês, espanhol, alemão e _____ árabe!
7. Não tenho interesse _____ música clássica.
8. Este parque _____ estacionamento é muito caro.

D. Substitua as imagens por palavras.

Chamo-me Orlando e sou  _____ [1].

Moro em Fortaleza. Sou (187cm) _____ [2]

e (77kg) _____ [3]. Sou estudante de 🎧

_____ [4]. Falo 🇵🇹 _____ [5]

e 🇯🇵 _____ [6]. Gosto de ⚽

_____ [7] e 🎵 _____ [8].

Tenho dois 🐈 _____ [9].

E. Olhe para as imagens e complete as frases com *cá* ou *lá*.

1. _____ no Brasil as pessoas são muito simpáticas!

2. _____ em Portugal poucas mulheres são loiras!

3. _____ nos Estados Unidos não temos bairros antigos nas cidades.

4. _____ na China as pessoas gostam muito de chá.

F. Você é um representante típico do seu país? Porquê? Escreva.

_____
_____
_____
_____
_____
_____
_____
_____

G. Complete as frases com as expressões da caixa.

---
não está / ~~não são~~ / pois não (4x)

não fala / não gosta
---

1. Vocês são da China, *não são*?
2. Não fala português, _____?
3. Você não é de Lisboa, _____?
4. Gosta de cerveja, _____?
5. Não está doente, _____?
6. Fala russo, _____?
7. Não gosta de ir ao médico, _____?
8. Ele está no estrangeiro, _____?

H. Escreva frases que concordem com a interrogativa de confirmação.

1. _____, não é?
2. _____, não ficas?
3. _____, pois não?
4. _____, não têm?
5. _____, não vais?

I. Sublinhe a palavra em que a letra *c* é pronunciada de forma diferente das outras.

1. **c**alor   **c**entro   es**c**ola   des**c**ulpe
2. **c**asado   dé**c**imo   **c**idade   ter**c**eiro

© Lidel – Edições Técnicas, Lda.

NUM CAFÉ

A. Escreva as letras que faltam nas palavras.

1. Uma bica cheia, faz favor.
2. Um *croissant* s_ _ _ _ _ _, faz favor.
3. Uma m_ _ _ de leite, faz favor.
4. Um p_ _ _ _ _ de nata, faz favor.
5. Uma tosta m_ _ _ _, faz favor.
6. Uma água n_ _ _ _ _ _, faz favor.

B. Faça a correspondência entre as frases 1-5 e as respostas a-e.

1. A tosta é para levar?
2. E mais?
3. E o meu troco?
4. Três *croissants*, faz favor.
5. Não tenho mais pequeno, desculpe.

a. Não faz mal.
b. Só tenho um.
c. Não, é para comer aqui.
d. Ai, desculpe. Aqui tem.
e. Mais nada, obrigado.

C. Sublinhe no exercício B as frases que diz o empregado.

D. Complete os diálogos com as palavras que faltam.

1. A: _____, faz favor.
   B: Uma meia de leite e uma tosta mista, faz favor.
2. A: Três _____ de nata, faz favor.
   B: Aqui estão.
3. A: Uma água, faz favor.
   B: _____ ou natural?
   A: Natural.
4. A: Duas tostas mistas _____ levar, faz favor.
   B: Aqui estão. E mais?
5. A: A conta é _____ ou separada?
   B: Separada.
6. A: _____ é?
   B: São três euros e quinze cêntimos.
7. A: Não tem mais _____?
   B: Não, só tenho _____ de 20.

VOCABULÁRIO QUE DEVE SABER USAR:

UNIDADE 9

andar
casar

o amigo
o avô/a avó
a família
o filho
a fotografia
o homem/a mulher
o irmão/a irmã
o marido/a mulher
o namorado
o neto
o pai/a mãe
o primo
o rapaz/a rapariga
a sogra
o tio
a turma

giro
único
já
ainda
este/a
esse/a
aquele/a

Que pena!

UNIDADE 10

cantar
cozinhar
dançar
fumar
ler
ver

a barba
o bigode
o cabelo
o careca
o filme
o olho
a televisão

alto
baixo
cansado
claro
comprido
curto
direito
doente
escuro
esquerdo
gordo
loiro
magro
moreno
ruivo

cerca de
com calor
com fome
com frio
com sede
com sono
de altura média

Estás bom/boa?

UNIDADE 11

adorar
detestar
ir
jogar
passar

o animal
o bar
o café
o cão
o cinema
o clube de futebol
a comida
as compras
o desporto
a discoteca
o estrangeiro
o gato
o ginásio
o jogo
a música (clássica)
a natureza
a praia
a revista
o ténis

preferido
nem

UNIDADE 12

almoçar
andar de
apanhar
estacionar
jantar
pagar
procurar
ser bom em
ter interesse em
tomar

o/a artista
o banho
a bicicleta
o sol
o mar
o parque de estacionamento
o passeio

diferente
irlandês
popular
típico
todos
entre
assim
cá
lá

pois não?
Um abraço.

PORTUGUÊS EM AÇÃO 3

a bica (cheia)
o cêntimo
a conta
o *croissant* (simples)
o euro
o gelo
o leite
a meia de leite
a pastelaria
o pastel de nata
a tosta (mista)

fresco
junto
natural
separado
para levar
Diga, faz favor!
E mais?
Não faz mal.
Quanto é?

UNIDADE 13

FAÇO ANOS A 10 DE DEZEMBRO

COMUNICAÇÃO
perguntar e dizer
as horas e as datas,
dar os parabéns

VOCABULÁRIO
tempo, horas
e meses,
dias festivos

PRONÚNCIA
sons [l] e [r],
letra **j**,
letra **ç**,
sons [s] e [z]

GRAMÁTICA
fazer,
expressão **daqui a**,
preposições,
quando

A. Complete com as palavras que faltam.

1. Uma hora são sessenta minutos.
2. Meio ano são seis _____.
3. Quatro _____ é um mês.
4. Um _____ de hora são 15 minutos.
5. Um ano são 365 _____.
6. 50 anos é _____ século.

B. Complete com a preposição.

1. Vamos ao cinema às 20h00.
2. Quanto tempo dura um voo _____ Pequim _____ Tóquio?
3. _____ que horas vamos ao cinema?
4. A aula acaba daqui _____ 10 minutos.
5. Falta meia hora _____ o fim do filme.
6. São vinte _____ as quatro.
7. A aula começa _____ 1h ou _____ 2h?
8. A Ana faz anos _____ junho.

C. Que horas são?

1. 02h15   São duas e um quarto.
2. 08h50   São _____
3. 14h25   São _____
4. 18h45   É _____
5. 22h40   _____
6. 09h30   _____
7. 01h15   _____
8. 17h05   _____

D. Leia as respostas e escreva ou complete as perguntas.

1. Que horas são?
   São duas e vinte.
2. _____ a aula?
   Uma hora e meia.
3. _____ o filme?
   Às sete e meia.
4. _____ o fim da aula?
   Dez minutos.
5. _____ estamos?
   Em novembro.
6. _____?
   Hoje é terça.
7. _____ são hoje?
   17 de novembro.
8. _____ é que a tua irmã _____ anos?
   A 8 de abril.
9. _____ nascimento?
   21 de julho de 1981.

E. Escreva as letras que faltam nos meses.

1. A G O S T O
2. _ _ T _ _ _ R O
3. M _ R _ _
4. F E _ _ R _ _ R _
5. N O _ E M B _ _
6. J _ N _ _
7. D _ _ _ M B R _
8. M _ _ _
9. O _ T _ B R _
10. A _ R I L
11. _ _ N E _ R O
12. _ U L _ _

F. Escreva o pronome ou a forma do verbo *fazer*.

1. ele *faz*
2. eu _____
3. _____ fazemos
4. eles _____
5. você _____
6. vocês _____
7. _____ fazes
8. a Ana _____

G. Quando é que eles fazem anos? Escreva.

Data de nascimento:
22/06/1949

1. Meryl Streep *faz anos a 22 de junho.*

Data de nascimento:
04/11/1972

2. Luís Figo _____

Data de nascimento:
09/06/1963

3. Johnny Depp _____

Data de nascimento:
08/09/1979

4. Pink _____

Data de nascimento:
02/02/1987

5. Gerard Piqué _____

H. Faça frases com as palavras escrevendo o verbo na forma correta e acrescentando os artigos, as conjunções e as preposições necessárias. Não mude a ordem das palavras.

1. Ele / fazer / anos / 8 / maio

   Ele faz anos a 8 de maio.

2. voo / Lisboa / Roma / durar / cerca / duas / horas / meia

   _____.

3. minha / data / nascimento / ser / 15 / maio / 1984

   _____.

4. fim / semana / ser / daqui / dois dias

   _____.

5. faltar / 20 / minutos / fim / filme

   _____.

6. que / horas / começar / aula / português

   _____?

I. Complete os diálogos com as frases da caixa.

> Ainda bem. / Que pena! / Pois é. / Parabéns!

1. A: A minha mãe faz anos hoje.

   B: _____

2. A: Temos muita comida em casa.

   B: _____ Estou com fome.

3. A: Este filme é muito mau.

   B: _____

4. A: Não vamos ao Algarve. Estamos sem dinheiro.

   B: _____ Detesto passar as férias em casa.

J. Sublinhe a palavra em que a letra destacada é pronunciada de forma diferente das outras.

1. **g**inásio   **j**ulho   pa**g**ar   **j**aneiro
2. **c**ento   mar**ç**o   tro**c**o   **s**egundo

LEVANTO-ME ÀS 8 HORAS

COMUNICAÇÃO
falar sobre as rotinas diárias e semanais

VOCABULÁRIO
rotinas diárias e semanais, partes do dia

PRONÚNCIA
sons [a] e [ɐ]

GRAMÁTICA
verbos reflexos, preposições de tempo e de movimento

A. Faça a correspondência entre as palavras com significado oposto.

1. perto   a. voltar

2. cedo   b. deitar-se

3. ir   c. tarde

4. levantar-se   d. depois

5. antes   e. longe

6. começar   f. acabar

B. Complete as expressões com os verbos da caixa.

> ir (3x) fazer (2x) tomar
> levantar-se começar

1.   *ir*   para a cama
2. _____ duche
3. _____ a trabalhar
4. _____ da cama
5. _____ às compras
6. _____ tarefas domésticas
7. _____ buscar
8. _____ compras

C. O que é que faz primeiro? Sublinhe.

1. tomar o pequeno-almoço / almoçar
2. levantar-se / acordar
3. levantar-se / tomar duche
4. ir buscar os filhos à escola / levar os filhos à escola
5. jantar / almoçar
6. jantar / ir para a cama

D. Escreva frases com as palavras dadas.

1. que / levantas / horas / a / te
   A que horas te levantas?

2. antes / não / meia-noite / deito / da / me
   _____.

3. com / me / café / encontro / Jorge / o / num
   _____.

4. não / ela / Teresa / chama / se
   _____.

5. tarde / domingo / te / muito / ao / levantas
   _____?

E. Faça frases com as palavras escrevendo o verbo na forma correta e acrescentando os artigos, as conjunções e as preposições necessárias. Não mude a ordem das palavras.

1. João / Ana / ir / teatro
   O João e a Ana vão ao teatro.

2. Paulo / acordar / volta / oito / meia
   _____

3. normalmente / domingo / Teresa / encontrar-se / / amiga / café / centro / cidade
   _____
   _____.

4. antes / jantar / Ana / ler / livro / revista
   _____

5. hora / almoço / Rita / ir / restaurante / grego
   _____.

6. eu / Jorge / trabalhar / nove / cinco
   _____

F. Leia o texto sobre o dia da Gisela. A seguir, leia as frases abaixo. São verdadeiras ou falsas? Assinale.

A Gisela mora no Porto. Durante a semana, acorda sempre às 8 horas. Não tem tempo para o pequeno-almoço porque começa a trabalhar logo às 8 e meia. Trabalha num *call center* perto de casa. Na hora do almoço vai a casa e almoça com o Jorge, o namorado. O Jorge está sempre em casa porque está sem trabalho. Depois do almoço, a Gisela volta para o trabalho. Acaba às 5 horas. Depois do trabalho encontra-se com amigas. Volta para casa por volta das 8 horas. À noite, vê televisão ou está na internet.

1. A Gisela não toma o pequeno-almoço. ☐V ☐F

2. A Gisela é casada. ☐V ☐F

3. A Gisela almoça fora. ☐V ☐F

4. O Jorge não trabalha. ☐V ☐F

5. A Gisela está fora de casa à noite. ☐V ☐F

G. Preposição *a* ou *para*? Sublinhe a opção correta.

1. Vou **à/para a** casa de banho.

2. Vou **a/para** casa buscar o meu passaporte. Volto já.

3. Vou **à/para a** cama muito tarde.

4. O João está em Marrocos. Volta **a/para** Portugal amanhã.

5. Chegamos sempre tarde **a/para** casa.

6. Amanhã vou **a/para** Sevilha. Fico lá três dias.

7. O Rashid chega **a/para** Madrid na sexta.

H. Complete com a preposição.

1. Vou ao ginásio *à* noite.

2. Encontramo-nos às oito _____ manhã.

3. _____ manhã não trabalho.

4. Às nove _____ noite começa o meu filme preferido.

5. _____ hora _____ almoço vou a casa.

6. Vou sempre ao cinema _____ segunda.

7. Normalmente, faço compras _____ sábado.

8. A Joana faz anos _____ segunda.

9. _____ a semana, levanto-me muito cedo.

10. _____ sábado vamos ao Brasil.

11. A Inês leva os filhos _____ escola.

12. Começo _____ trabalhar às 8 horas.

13. Depois _____ almoço tomo café.

I. Sublinhe a palavra em que a letra *a* é pronunciada de forma diferente das outras.

1.	abril	Teresa	tarde	fazer
2.	fora	caso	maio	mar

COMUNICAÇÃO	VOCABULÁRIO	PRONÚNCIA	GRAMÁTICA
falar sobre os hábitos alimentares e estilos de vida, preencher um questionário	alimentos, hábitos e rotinas	ligações consonânticas, ditongos [ẽj] e [ɐ̃j], som [i]	verbos em -er, dormir, advérbios de frequência, todo e algum

A. Faça as palavras cruzadas.

Horizontal:

4. Os chineses e os japoneses comem isto muitas vezes por dia.
6. É saudável e típico da cozinha portuguesa.
9. Parmesão, *brie* ou feta.
10. Tortilha espanhola tem batatas e .....
13. Pão com .....
14. Os portugueses, normalmente, começam o almoço com isto.
15. Carne, batata e ..... ao almoço.

Vertical:

1. Tipo de carne.
2. Laranja, banana, limão, etc.
3. Os vegetarianos não comem isto.
5. Os vegetarianos comem muitos.
7. Os portugueses e os japoneses comem muito disto.
8. Os portugueses comem isto muitas vezes por dia.
11. Tinto ou branco.
12. Carne, salada e ..... ao almoço.

B. Faça a correspondência entre as palavras com significado oposto.

1. adorar	a. nunca
2. sempre	b. raramente
3. descansar	c. trabalhar
4. lembrar-se	d. esquecer-se
5. frequentemente	e. detestar

C. Como é a sua alimentação? Faça frases verdadeiras sobre si usando as palavras da tabela.

beber	muito	água, peixe, arroz, etc.
	pouco	
não beber		
comer	muito	
	pouco	
não comer		

1. *Bebo muita água.*
2. _____ leite.
3. _____ café.
4. _____ pão.
5. _____ ovos.
6. _____ carne.
7. _____ batata.
8. _____ peixe.
9. _____ arroz.
10. _____ queijo.
11. _____ sumos.
12. _____ manteiga.

D. Complete com *todo* e *algum* na forma correta.

1. *todos os dias* *alguns dias* (dias)
2. _____ _____ (vinho)
3. _____ _____ (fruta)
4. _____ _____ (semanas)
5. _____ _____ (meses)

E. Olhe para a tabela e complete as frases.

5 - sempre   2 - raramente
4 - frequentemente   1 - quase nunca
3 - às vezes   0 - nunca

	Ivo	Ana	Rui
fazer exercício	4	0	3
chegar atrasado	0	3	5
estar doente	2	4	0
esquecer-se de coisas	3	0	5
andar com muito stresse	3	3	1
dormir mal	2	5	2
estar com pressa	5	4	4

1. O Ivo *faz exercício* frequentemente.
2. O Ivo _____ chega _____.
3. O Ivo _____ coisas.
4. O Ivo e a Ana _____.
5. A Ana _____ faz _____.
6. A Ana _____ mal.
7. A Ana _____ coisas.
8. O Ivo _____ sempre _____.
9. A Ana e o Rui _____.
10. O Rui _____ doente.
11. O Rui quase _____.
12. O Rui e o Ivo _____.

F. Acha que tem uma vida saudável? Porquê? Escreva.

_____
_____
_____
_____
_____
_____
_____
_____

G. Substitua a palavra destacada pelo oposto como no exemplo.

1. O carro do Luís é **bom**.
   O carro do Vasco *é mau*.
2. A Sara fala **bem** alemão.
   O João _____.
3. O francês da Diana é **mau**.
   O inglês da Diana _____.
4. Hoje, estou **mal**.
   Normalmente, _____.
5. As praias na minha cidade são **boas**.
   As praias na tua cidade _____.

H. Faça frases com as palavras. Escreva o verbo na forma correta e acrescente os artigos e as preposições necessárias. Não mude a ordem das palavras.

1. João / nunca / ter / tempo / descansar
   O João nunca tem tempo para descansar.
2. eles / comer / quatro / refeições / dia
   _____
3. nosso / gato / dormir / todo / dia
   _____
4. Jorge / lembrar-se / sempre / anos / mulher / / dele
   _____
5 Sara / nunca / falar / problemas / dela / pais
   _____
6. eles / nunca / esquecer-se / chave
   _____
7. o José / ter / sempre / tempo / tomar / / pequeno-almoço
   _____

I. Sublinhe a palavra em que as letras destacadas são pronunciadas de forma diferente das outras.

pães   bens   sei   vivem

COMUNICAÇÃO	VOCABULÁRIO	PRONÚNCIA	GRAMÁTICA
ler uma ementa, fazer pedidos e propostas, expressar permissão e possibilidade	pratos, preparação de comida, adjetivos, tipos de restaurantes	ditongos [õj] e [oj], qua, que e qui	pôr, saber, poder e querer, preposições de lugar

A. Escreva o artigo definido.

1. *a sopa*
2. ____ peixe
3. ____ saúde
4. ____ ar
5. ____ lugar
6. ____ carne
7. ____ azeite
8. ____ problema
9. ____ arroz
10. ____ multa

B. Faça a correspondência entre as colunas para encontrar nomes de pratos típicos da cozinha portuguesa.

1. arroz
2. sardinhas
3. sopa
4. feijoada
5. bacalhau
6. caldo
7. cozido

a. com natas
b. doce
c. à portuguesa
d. alentejana
e. verde
f. assadas
g. à transmontana

C. Invente a ementa de um restaurante. Use os adjetivos da caixa.

fumado	cozido	grelhado	assado	frito

ENTRADAS:
1.
2.
PRATOS:
1.
2.
3.
4.
SOBREMESAS:
1.
2.

D. Olhe para as imagens e complete as frases com as palavras da caixa. Acrescente as preposições necessárias.

atrás	~~lado~~	entre	debaixo
cima	dentro	frente	

1. O restaurante fica *ao lado do* bar.

2. O carro está _____ parque.

3. A Ana está _____ o Hugo e o Rui.

4. O livro está _____ mesa.

5. O gato está _____ cadeira.

6. A Elis está _____ porta.

7. O João está _____ pastelaria.

E. Complete a tabela com as formas verbais.

	poder	saber	querer	pôr
eu			quero	
tu	podes			
ele		sabe		
nós				pomos
eles			querem	

F. Complete as frases com o pronome ou a forma do verbo *sentar-se*.

1. ele senta-se
2. eu _____
3. nós _____
4. ela não _____
5. você _____
6. os senhores _____
7. _____ sentas-te
8. o Rui _____

G. Complete as frases com os verbos da caixa na forma correta.

| desligar ~~viver~~ pôr poder levantar-se |
| sentar-se (2x) querer (2x) saber (2x) |

1. A Rita vive numa cidade perto do mar.
2. Porque é que não _____ o computador à noite? *(tu)*
3. A: Onde é que _____? *(nós)*

   B: Eu _____ sempre ali, ao lado da porta.
4. A: Vocês não _____ onde estão as chaves do escritório?

   B: Não, não _____.
5. Nunca _____ a minha carteira em cima da cama. *(eu)*
6. A: Ó Vanda, não _____ ir às compras?

   B: _____, mas infelizmente não _____. Não tenho dinheiro.
7. A que horas _____ ao sábado? *(tu)*

H. Escreva frases com as palavras dadas.

1. estacionar / pode / aqui / ele / o / não / carro

   Ele não pode estacionar o carro aqui.
2. restaurante / tem / é / este / porque / / condicionado / que / ar / não

   _____

   _____?
3. como / chama / sabes / ela / se / não

   _____?
4. ao / podem / da / se / janela / sentar / lado

   _____.
5. ir / vegetariano / a / posso / sou / restaurante / / não / porque / esse

   _____

   _____.

I. Complete as frases com as palavras da caixa.

| livre quente vazio ~~fechado~~ |
| cheio fraco aberto |

1. Hoje é domingo. O escritório está fechado.
2. Este restaurante está _____. Não temos lugar.
3. Este vinho é bom, mas muito _____.
4. Amanhã à noite trabalhas ou estás _____?
5. Este bar está _____ 24 horas por dia.
6. Posso beber um pouco de vinho? O meu copo está _____.
7. Agosto é um mês muito _____ em Portugal.

J. Sublinhe a palavra em que as letras destacadas são pronunciadas de forma diferente das outras.

| 1. | **qu**ente | **qu**into | **qu**ase | **qu**eres |
| 2. | can**ções** | **põe** | avi**ões** | irm**ãos** |

NO RESTAURANTE

A. Complete as perguntas 1-7 com os verbos da caixa na forma correta. A seguir, faça a correspondência entre as perguntas e as respostas a-g.

| ter | querer | ser | estar | ~~recomendar~~ | pagar | trazer |

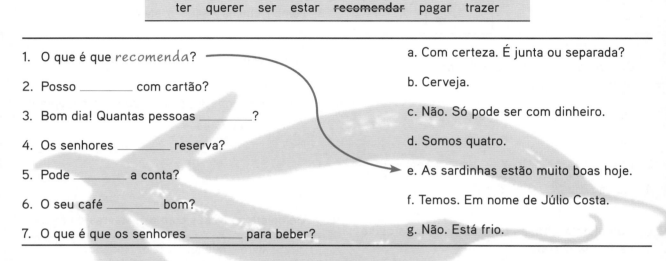

1. O que é que *recomenda*?
2. Posso _____ com cartão?
3. Bom dia! Quantas pessoas _____?
4. Os senhores _____ reserva?
5. Pode _____ a conta?
6. O seu café _____ bom?
7. O que é que os senhores _____ para beber?

a. Com certeza. É junta ou separada?
b. Cerveja.
c. Não. Só pode ser com dinheiro.
d. Somos quatro.
e. As sardinhas estão muito boas hoje.
f. Temos. Em nome de Júlio Costa.
g. Não. Está frio.

B. Sublinhe, no exercício A, as frases ditas pelo empregado.

C. Complete as frases com as palavras da caixa.

| doce | picante | amargo | salgado |

1. Esta sobremesa tem muito açúcar. É muito _____.
2. Muitas pessoas acham que a comida indiana é _____.
3. O bacalhau é _____.
4. Café sem açúcar é _____.

VOCABULÁRIO QUE DEVE SABER USAR:

UNIDADE 13	UNIDADE 14	UNIDADE 15	UNIDADE 16
acabar	acordar	beber	desligar
começar	chegar	comer	poder
durar	deitar-se	correr	pôr
faltar	encontrar-se	descansar	querer
fazer	ir buscar	dormir	saber
fazer anos	levantar-se	esquecer-se	sentar-se
	levar	lembrar-se	
o Ano Novo	limpar	viver	o ar condicionado
a aula	visitar		o bacalhau
a canção	voltar	o arroz	o bolo
a chamada (ao telefone)		o azeite	a cantina
a criança	o almoço	a batata	a ementa
a data de nascimento	a cama	a carne	a entrada
a festa	a casa de banho	o copo	o gelado
o fim	o duche	o encontro	o lugar
o fim de semana	a hora do almoço	o exercício	a multa
o jogo de futebol	o jantar	o frango	o prato
a meia-noite	o pequeno-almoço	a fruta	o salmão
o meio-dia	a pintora	os legumes	a sardinha
o mês	a tarefa (doméstica)	o leite	a sobremesa
o minuto	a viagem	a manteiga	
o Natal		o ovo	aberto
o quarto (de hora)	atrasado	o pão	assado
o século	cedo	o peixe	cheio
o segundo	sempre	o problema	cozido
o voo	tarde	o queijo	fechado
	antes	a refeição	forte
janeiro	depois	a salada	fraco
fevereiro	durante	a saúde	frio
março	à tarde	a sopa	frito
abril	de manhã	o vegetariano	fumado
maio	por volta de	a vida	grelhado
junho		o vinho tinto	livre
julho			ocupado
agosto		importante	quente
setembro		saudável	vazio
outubro		algum	
novembro		todo	ao lado de
dezembro		frequentemente	atrás de
		mal	debaixo de
amanhã		nunca	dentro de
daqui a		raramente	em cima de
então		regularmente	em frente de
hoje		quase	com certeza
para		sobre	
		com pressa	Claro!
Ainda bem!			Boa ideia!
Parabéns!		De nada!	
Pois é!		Igualmente!	
Quando...?			

PORTUGUÊS EM AÇÃO 4

pagar
recomendar
o cartão de crédito
a reserva
amargo
doce
picante
saboroso
salgado
Para beber?
Pode trazer...?
Quero o mesmo!

UNIDADE 17

TOMO SEMPRE O PEQUENO-ALMOÇO

COMUNICAÇÃO
falar sobre os hábitos alimentares, interagir num restaurante, comprar comida

VOCABULÁRIO
pequeno-almoço, embalagens, compras de comida

PRONÚNCIA
acento, **ea** e **ia**

GRAMÁTICA
contrações de **de/em/a**, **haver** vs. **estar**, **uns/umas**

A. Escreva as letras que faltam nos nomes dos alimentos.

1. C E R E A I S
2. C H O C _ _ A _ _
3. I O G _ _ T _
4. F E _ _ _ O
5. S A L _ _ _ H _ S
6. F _ _ M _ R E
7. T _ R _ _ D A
8. S A N _ _ _

B. Sublinhe, no exercício A, os alimentos que come ao pequeno-almoço.

C. Escreva a palavra no plural com o artigo indefinido correto.

1. sopa — umas sopas
2. iogurte — _____
3. doce — _____
4. dose — _____
5. chocolate — _____
6. sandes — _____
7. baguete — _____

D. Faça a correspondência entre as embalagens e os alimentos.

1. uma garrafa — a. de chocolates
2. um pacote — b. de cerveja
3. um saco — c. de azeite
4. uma lata — d. de batatas
5. uma caixa — e. de manteiga

E. O que é que eles comem e bebem ao pequeno-almoço? Olhe para as fotografias e escreva.

1. A Rita _____

2. O Manuel _____

3. A Lília _____

F. Olhe para a imagem. Complete as frases com *há* ou *não há*.

1. *Não há* ovos.
2. _____ tomate.
3. _____ iogurtes.
4. _____ leite.
5. _____ vinho.
6. _____ queijo.
7. _____ frango.
8. _____ peixe.

G. Ordene as frases do diálogo no mercado da fruta.

Boa tarde. A como são as laranjas? ☐1

Dois euros e setenta e cinco cêntimos. ☐

Aqui tem. Mais alguma coisa? ☐

Um quilo. Quanto é tudo? ☐

Quanto quer levar? ☐

A 80 cêntimos o quilo. ☐

Sim, também queria levar tomate. ☐

Levo meio quilo, então. ☐

H. Complete as frases dos diálogos no mercado.

1. A: Há salmão?

   B: Não, já não há.

2. A: _____ _____ _____ essas azeitonas?

   B: A dois euros o quilo.

3. A: E _____?

   B: É só, obrigada.

4. A: _____ é?

   B: São dois euros e dez cêntimos.

5. A: Estas laranjas são muito boas.

   B: São? Então, _____ meio quilo.

6. A: Gosta _____ limões?

   B: Não, gosto daqueles.

I. Sublinhe o verbo correto.

1. Não sabes onde **estão/são/há** os nossos filhos?
2. O que é que **está/é/há** para o almoço?
3. **Está/É/Há** muito azeite nesta salada.
4. **Está/É/Há** uma tosta mista e um café, faz favor.
5. O nosso restaurante **está/é/há** aberto ao domingo.
6. Nesta cidade **estão/são/há** muitas bicicletas.
7. **Está/É/Há** um hotel atrás do centro comercial.
8. A pastelaria do tio do Miguel **está/é/há** em frente ao meu escritório.
9. O meu carro **é/está/há** no parque.
10. Gotemburgo **está/é/há** na Suécia ou na Alemanha?

J. Sublinhe a vogal acentuada.

estadia   família   mercearia   Itália

COMUNICAÇÃO

fazer comparações, expressar preferências, ler um folheto publicitário

VOCABULÁRIO

adjetivos, lugares

PRONÚNCIA

sons [ʎ] e [lj], ligações consonânticas

GRAMÁTICA

comparativo e superlativo dos adjetivos e advérbios, **conhecer** e **preferir**

A. Complete com os adjetivos com o significado oposto.

1. *cheio* ≠ vazio

2. calmo ≠ _____

3. _____ ≠ longo

4. largo ≠ _____

5. agradável ≠ _____

B. Complete as frases com as palavras da caixa.

> a temperatura / a agência / o alojamento
> o preço / a viagem / o voo / uma estrela
> a área / a duração / ~~distância~~

1. Paris fica a 1500 km de *distância* de Lisboa.

2. Qual é _____ média em Buenos Aires em agosto?

3. Qual é _____ da sua estadia em Portugal?

4. _____ de Portugal é de 98 mil km².

5. _____ de comboio dura mais tempo do que a de avião.

6. _____ é no hotel "Santa Clara".

7. _____ entre Lisboa e o Porto dura 40 minutos.

8. Qual é _____ de uma noite neste hotel?

9. _____ de viagens "Abreu" fica aqui perto.

10. Este hotel tem só _____ .

C. Complete com comparativos e superlativos.

1. bonito - *mais bonito* - *o mais bonito*

2. grande - _____ - _____

3. rico - _____ - _____

4. pequeno - _____ - _____

5. mau - _____ - _____

6. bom - _____ - _____

D. Reescreva as frases usando o adjetivo/ /advérbio oposto.

1. Portugal é mais quente do que a Suécia.

   A Suécia *é mais fria do que* Portugal.

2. A Irlanda é mais pequena do que Portugal.

   Portugal _____ a Irlanda.

3. Casablanca fica mais perto de Lisboa do que Barcelona.

   Barcelona _____

   _____ Casablanca.

4. A viagem de Portugal à China é mais longa do que ao Brasil.

   A viagem de Portugal ao Brasil _____

   _____ à China.

5. O carro do Pedro é melhor do que o carro do José.

   O carro do José _____ do Pedro.

6. O Jorge é mais rico do que a Inês.

   A Inês _____ o Jorge.

7. O André viaja mais do que o David.

   O David _____ o André.

E. Olhe para a tabela e preencha a terceira coluna. A seguir, faça frases com o verbo *preferir*.

+ gosta mais   - gosta menos

	Inês	Raul	Eu
chá / café	+/-	-/+	
Paris / Londres	+/-	+/-	
carne / peixe	-/+	+/-	
cães / gatos	+/-	-/+	
frango / porco	+/-	-/+	
frio / calor	-/+	-/+	
cerveja / vinho	+/-	-/+	
mar / montanhas	+/-	-/+	

1. *(chá / café)* O Raul prefere café a chá.
2. *(Paris / Londres)* A Inês e o Raul preferem Paris a Londres.
3. *(carne / peixe)* A Inês _____ _____
4. *(frango / porco)* O Raul _____ _____
5. *(frio / calor)* A Inês e o Raul _____ _____
6. *(mar / montanhas)* Eu _____ _____
7. *(cães / gatos)* Eu _____ _____
8. Eu e o Raul _____
9. Eu e a Inês _____ _____

F. Complete com *vários* ou *várias*.

1. várias praias
2. _____ viagens
3. _____ ilhas
4. _____ lojas
5. _____ lagos
6. _____ flores

G. Sublinhe o verbo correto.

1. **Sabe/Conhece** a Teresa?
2. **Sabes/Conheces** o nome deste prato?
3. Acho que não nos **sabemos/conhecemos**.
4. **Sabem/Conhecem** porque estamos aqui?
5. Quero **saber/conhecer** os teus pais.
6. **Sabes/Conheces** quem é o pai da Ana?
7. Ele não **sabe/conhece** a mãe da Rita.

H. Complete com as palavras da caixa.

mar   montanha   ilha   costa
rio   capital   lago   ~~oceano~~

1. A Madeira fica no Oceano Atlântico.
2. O _____ Baikal fica na Rússia.
3. O Amazonas é o maior _____ do Brasil.
4. A _____ da Páscoa fica no Oceano Pacífico.
5. Camberra é a _____ da Austrália.
6. A Bulgária fica na _____ do _____ Negro.
7. Kilimanjaro é uma _____ em África.

I. Faça frases com as palavras escrevendo o verbo na forma correta e acrescentando os artigos, as conjunções e as preposições necessárias. Não mude a ordem das palavras.

1. Rússia / ser / maior / país / mundo

   A Rússia é o maior país do mundo.
2. este / lago / ser / mais / bonito / todos
   _____
3. tua / cidade / tão / calma / como / minha
   _____
4. João / ser / mais / rico / família
   _____
5. Ana / ser / melhor / aluna / turma
   _____

TENHO DE GASTAR MENOS

COMUNICAÇÃO

expressar
necessidade,
obrigação
e capacidade

VOCABULÁRIO

dinheiro,
passatempos
e atividades

PRONÚNCIA

acento,
sons [ɲ] e [ni],
ditongo [ɐ̃j]

GRAMÁTICA

ter de/precisar,
pronomes indefinidos,
uso de **saber**

A. Complete as frases com os verbos da caixa na forma correta.

~~pagar~~	gastar	ganhar
poupar	custar	comprar

1. O senhor quer *pagar* com dinheiro ou com cartão de crédito?

2. Tu não trabalhas nem estudas, mas _____ muito dinheiro todos os dias. Não pode ser assim!

3. O meu trabalho não é interessante, mas _____ muito bem.

4. Aquele carro é muito bonito, mas infelizmente _____ muito dinheiro.

5. Quero _____ um dicionário português--espanhol.

6. Tu não gostas de _____ dinheiro, pois não? Gastas muito mais do que eu.

B. Complete com *tem de* ou *não tem de*.

1. Uma dona de casa _____ gostar de cozinhar.

2. Um político _____ falar línguas.

3. Uma secretária _____ falar muito ao telefone.

4. Uma secretária _____ ser bonita.

5. Um professor _____ falar muito.

6. Um professor _____ gostar de crianças.

7. Um enfermeiro _____ gostar de trabalhar com pessoas.

8. Um empregado de mesa _____ ser simpático.

C. Olhe para as imagens. Complete as frases com as palavras da caixa como no exemplo.

dormir / água / ~~tomar banho~~
comer / estudar / fazer dieta

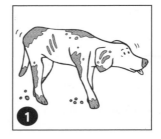

1. Este cão *precisa de tomar banho.*

2. Esta flor _____.

3. Este rapaz _____.

4. Este gato _____.

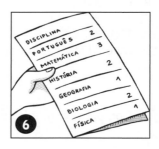

5. Esta rapariga _____.

6. Este aluno _____.

D. Faça a correspondência entre as colunas.

1. carregar	a. guitarra
2. acender	b. o cinto
3. jogar	c. a televisão
4. pôr	d. no botão
5. ligar	e. o cigarro
6. tocar	f. xadrez

E. Olhe para as imagens e sublinhe a opção correta.

1. A Rita **tem de/pode/não pode** usar esta casa de banho.

2. A Ana **tem de/pode/não pode** tirar fotografias aqui.

3. O Rodrigo **tem de/pode/não pode** fumar aqui.

4. A Rita **tem de/pode/não pode** andar de bicicleta aqui.

5. O Miguel **tem de/pode/não pode** pôr o cinto.

6. A Mafalda **tem de/pode/não pode** pagar com cartão aqui.

F. Sublinhe a palavra correta.

1. Está aqui **alguém/ninguém**?
2. **Tudo/Todo** isto é meu.
3. Não tenho **algo/nada** dentro do carro.
4. Conheces **alguém/ninguém** no Porto?
5. Preciso de comer **algo/nada**.
6. Fico em casa **tudo/todo** o dia.
7. **Todos/Tudo** gostam de sol e de calor.
8. Nesta casa não vive **alguém/ninguém.**

G. O que sabe fazer? Escreva as palavras/ /expressões abaixo na coluna certa da tabela.

nadar / cantar / jogar ténis de mesa jogar xadrez / cozinhar / tirar fotografias falar chinês / poupar dinheiro dançar salsa / fazer uma caipirinha

Sei...	Não sei...

H. Complete os diálogos com as frases da caixa.

Que bonita! / Que interessante! / Que bom!

1. A: Que prato é este?

   B: Bacalhau com natas.

   A: _____! Adoro bacalhau!

2. A: Esta flor é tua?

   B: Não, é da minha mãe.

   A: _____! Como se chama?

3. A: A Joana tem um carro novo. Um BMW!

   B: Tem? _____! Ela ganha muito pouco.

ESTOU A FALAR AO TELEFONE

COMUNICAÇÃO
falar sobre ações em curso, falar ao telefone

VOCABULÁRIO
chamadas e mensagens telefónicas

PRONÚNCIA
letra **u**, ligações consonânticas, **gua**

GRAMÁTICA
verbos em -**ir**, **estar a** + infinitivo, **tão** e **tanto**

A. Complete as frases com os verbos da caixa.

| atravessar atender ouvir enviar |
| aprender tocar ~~olhar~~ |

1. Porque é que estás a olhar assim?
2. O telefone está a _____!
3. Não posso _____ o telefone porque estou a tomar banho.
4. Estou a _____ japonês agora.
5. Estás a _____ o que estou a dizer?
6. Você não pode _____ a estrada aqui.
7. Tenho de _____ uma mensagem.

B. Complete a tabela com as formas verbais que faltam.

	partir	ouvir	divertir-se
eu	parto		
tu		ouves	
ele			diverte-se
nós	partimos		
eles		ouvem	

C. Sublinhe a opção correta.

1. Não podes dormir **tão/tanto.**
2. Ela vive **tão/tanto** longe daqui.
3. Recebo **tão/tantas** mensagens!
4. Ela é **tão/tanta** bonita!
5. Elas falam inglês **tão/tanto** mal!
6. O vosso cão come **tão/tanto.**

D. Escreva _tanto_ na forma correta.

1. tantas pessoas
2. tant____ barulho
3. tant____ mensagens
4. tant____ doces
5. tant____ flores
6. tant____ sopa
7. tant____ chá
8. tant____ meses

E. Complete com _estar_ + Infinitivo.

A: Mãe, o que é que estás a fazer[1] (fazer) à janela?

B: _____[2] (olhar) para a rua.

A: O que é que _____[3]? (ver)

B: A mulher do Dr. Silva _____[4] (estacionar) o carro no nosso lugar.

A: Ah é? Ela não pode fazer isso. O lugar é nosso.

B: Pois é. E _____[5] (falar) ao telemóvel.

A: Com quem?

B: Não sei. Não _____[6] (ouvir) bem.

A: O que é que mais _____[7]? (ver)

B: A D. Graça, do segundo andar, _____[8] (fumar) à janela.

A: Ela fuma? O marido dela sabe disso?

B: Acho que não. Ela só fuma quando ele _____[9]! (trabalhar)

F. Olhe para a imagem. O que é que estas pessoas estão a fazer?

1. Ele está a ler o jornal.

2. Ele _____

3. Ele _____

4. Ela _____

5. Eles _____

6. Ele _____

7. Ele _____

G. Faça frases como no exemplo.

1. Todas as sextas como peixe, mas hoje estou a comer carne. (comer / peixe / carne)

2. Normalmente, _____, mas agora _____. (beber / vinho tinto / / vinho branco).

3. Normalmente, _____, mas esta noite _____. (dançar / salsa / / quizomba)

4. Ela _____ sempre _____, mas agora _____. (tocar / piano / / guitarra)

H. Escreva frases com as palavras dadas.

1. estás / que / a / o / que / fazer / é

   O que é que estás a fazer?

2. chover / agora / a / muito / está

   _____.

3. uma / estou / mensagem / escrever / a

   _____.

4. ouvir / que / estão / música / a / vocês / que / é

   _____?

5. descansar / momento / a / neste / estou

   _____.

I. Há uma palavra em cada linha que não tem o som [u]. Sublinhe-a.

1. lago	tocamos	costa	barulho
2. podem	toco	gostar	custa
3. turista	morar	hora	preços

PORTUGUÊS EM AÇÃO 5

AO TELEFONE

A. Complete os diálogos ao telefone com os verbos da caixa.

atender	falar	desligar
tocar	deixar	ligar

1. A: Olha, Jorge, tenho de _____ porque já é tarde e amanhã levanto-me muito cedo.

   B: Está bem. Até amanhã!

2. A: Teresa! O telefone está a _____!
   Podes _____? Eu estou na casa de banho.

   B: Está bem! Está bem!

3. A: Estou!

   B: Bom dia. Posso _____ com a Rosa Fernandes?

   A: Ela não está de momento. Quer _____ uma mensagem?

   B: Não, não, obrigado. Volto a _____ mais tarde.

B. Encontre e corrija cinco erros nos diálogos abaixo.

1. A: Estou! Olá, João! Estás bom? ~~A tanto tempo~~!

   B: Olá! Eu estou bem. E tu?

2. A: Estou? Posso falar com a Lídia Ameixoeira?

   B: É própria. Diga!

3. A: Bom dia, Sónia! Cá fala Graça Ferreira.

   B: Bom dia, Graça! Olhe, não posso falar agora. Estou a conduzir.

   A: Está bem. Volto ligar mais tarde. Com a licença!

1. Há tanto tempo!
2. _____
3. _____
4. _____
5. _____

C. Sublinhe a palavra correta.

1. Raquel, não ouço nada. Acho que aqui não há **bateria/rede**.

2. Tenho que desligar porque estou a ficar sem **bateria/código**.

3. Não me lembro qual é o **código/carregador** do cartão do meu telemóvel.

4. O meu telefone está a tocar. Tenho de atender a **bateria/chamada.**

VOCABULÁRIO QUE DEVE SABER USAR:

UNIDADE 17

comprar
haver

a azeitona
a baguete
a caixa
a carne de porco
os cereais
o chocolate
a coisa
o doce
a dose
o feijão
o fiambre
o iogurte
a laranja
a lata
a loja
o mercado
a mercearia
o pacote
o quilo
o saco
a salsicha
a sandes
o supermercado
o tomate
a torrada

A como é?
Queria...

UNIDADE 18

conhecer
preferir

a agência de viagens
o alojamento
a área
a capital
a costa
a distância
a duração
a estadia
a estrela
a flor
a ilha
o lago
a montanha
o mundo
o oceano
o preço
o quilómetro
o rio
a temperatura
o/a turista

agradável
barulhento
calmo
desagradável
estreito
largo
longo
médio
perfeito
vários
mais
menos
tão... como...
além disso
mais ou menos
tudo incluído

Olha, ...
É verdade!
Um momento!

UNIDADE 19

acender
apagar
carregar
custar
gastar
ligar
nadar
pintar
poupar
precisar
ter de/que
tirar
tocar

o botão
o cinto
a guitarra
a notícia
o piano
a roupa
a senha
o xadrez

fácil
algo
alguém
nada
ninguém
tudo

Que bom!

UNIDADE 20

aprender
atender
atravessar
chover
conduzir
deixar
divertir-se
ensinar
enviar
escrever
olhar
ouvir
partir
receber
telefonar

o barulho
o comboio
a estrada
a mensagem
o parque nacional

tão
tanto

Boa!
Está?/Estou?
Tudo ótimo!

PORTUGUÊS EM AÇÃO 5

voltar a ligar
a bateria
o carregador
o código
a rede
Com licença!
É o próprio!
Fica bem!
Há tanto tempo!
Quem fala?

VOU VIAJAR DE COMBOIO

COMUNICAÇÃO	VOCABULÁRIO	PRONÚNCIA	GRAMÁTICA
fazer planos, falar sobre deslocações do dia a dia	viagens e deslocações, meios de transporte	sons [aɫ] e [ẽw], **gui**, pares mínimos	**ir** + infinitivo, **vir** e **perder**, **outro**, **por** + **o/a**, preposições

A. Complete.

1. por + o = *pelo*
2. por + os = _____
3. por + a = _____
4. por + as = _____

B. Sublinhe a preposição correta.

1. Hoje não vou **ao/para o/no** ginásio.
2. Amanhã vamos **a/para/de** Roma. Voltamos **a/para/de** casa na próxima sexta.
3. Não posso encontrar-me com a Joana porque parto **a/para/por** Nova Iorque amanhã.
4. Vamos esperar **ao/do/pelo** comboio das 17h45.
5. Vou sempre **à/para a/pela** universidade **em/no/de** metro.
6. Ela vem para Lisboa **com o/no/do** voo da TAP.
7. Vou desligar o telefone porque estou a entrar **ao/no/pelo** avião.
8. Ela chega **a/para/em** casa tarde.
9. O senhor tem de mudar **o/do/de** comboio em Coimbra.
10. Vamos **ao/pelo/para** cinema **a/de/em** pé.

C. Qual é o seu meio de transporte preferido? Porquê? Qual é o meio de transporte que usa todos os dias?

_____
_____
_____
_____
_____

D. Escreva a terminação correta de *outro*.

1. outr*a*   estrada
2. outr___   táxi
3. outr___   estação
4. outr___   transportes
5. outr___   paragem
6. outr___   caminho
7. outr___   viagens

E. Use as palavras dadas para fazer frases com *ir* + Infinitivo. Acrescente as preposições e os artigos em falta e faça todas as alterações necessárias. Não mude a ordem das palavras.

1. Sara / passar / férias / Rio de Janeiro

   A Sara vai passar as férias no Rio de Janeiro.

2. Miguel / partir / Itália / próximo / terça-feira

   _____.

3. sábado / Rui / visitar / pais

   _____.

4. próximo / semana / Ana / falar / chefe

   _____.

5. voo / durar / oito / hora

   _____.

6. Coimbra / Rita / ficar / hotel / três / estrela

   _____.

7. Pedro / Joana / ficar / dois / semana / Madrid

   _____.

F. Complete as perguntas para as frases do exercício E.

1. Onde *é que a Sara vai passar as férias?*
2. Quando _____?
3. Quem _____?
4. Quando _____?
5. Quantas _____?
6. Onde _____?
7. Quanto _____

_____?

G. Faça as palavras cruzadas com as formas de *vir* e *ver*.

Horizontal:

2. Ele ..... a Lisboa com a namorada.
4. Não sei o que é que ele ...... naquela rapariga.
5. Aqui está escuro, não ..... nada! *(nós)*
7. ..... para casa às 10h00. *(eu)*

Vertical:

1. Eles ..... à tarde.
2. ...... a Portugal de comboio. *(nós)*
3. Eles ...... televisão todo o dia.
5. Nunca ...... televisão. *(eu)*
6. Quando ...... cá? *(tu)*
7. Tu não ..... muitos filmes, pois não?

H. Escreva o pronome ou a forma do verbo *perder*.

1. ele *perde*
2. eu _____
3. _____ perdemos
4. eles _____
5. você _____
6. vocês _____
7. _____ perdes
8. a Rita _____

I. Complete as frases com as palavras da caixa.

transporte	multa	trânsito
paragem	bilhete	estação	~~parque~~

1. O senhor pode estacionar o carro no *parque*.
2. Há aqui perto alguma _____ de elétrico?
3. Onde é a _____ de comboios?
4. Qual é o seu meio de _____ preferido?
5. Vamos chegar atrasados porque há muito _____ .
6. As pessoas que andam de autocarro sem _____ podem pagar uma _____ .

J. Complete com o verbo da caixa no Infinitivo ou no Presente.

sair	chegar	vir	mudar	~~ir~~
apanhar	perder	esperar	durar	

1. Não queres *ir* ao supermercado comprar algo para comer? Não temos nada em casa.
2. Estamos atrasados! Rápido! Não podemos _____ o avião!
3. Chego a Lisboa às 3h00 e logo depois _____ a camioneta para Óbidos.
4. Já estou em Lisboa! Estou a _____ do avião.
5. Vamos _____ pela Ana em casa.
6. Temos de _____ de comboio em Silves.
7. A que horas _____ a casa? Eu já cá estou.
8. Quanto tempo _____ o voo?
9. Não queres _____ aqui à minha casa hoje à noite? Vamos fazer uma festa.

QUERO UMA CASA COM JARDIM

COMUNICAÇÃO

falar sobre habitação, interagir numa agência imobiliária

VOCABULÁRIO

tipos de habitação, divisões da casa, mobiliário

PRONÚNCIA

letra **â**,
letra **e**,
sons [aɫ] e [aw]

GRAMÁTICA

dizer e **subir**,
verbos em **-air**,
nenhum,
ser *vs.* **estar**

A. Complete as frases com as expressões da caixa.

> o apartamento / uma moradia / vista
> ~~o prédio~~ / uma garagem / um terraço

1. O parque de estacionamento fica entre *o prédio* da Sofia e a escola.

2. Os pais da Sofia têm _____ de dois andares fora da cidade.

3. O quarto tem _____ para o mar.

4. A nossa casa não tem varanda, mas tem _____ grande.

5. Esta casa tem _____ para dois carros.

6. _____ da Sofia não é grande. Só tem uma sala e um quarto.

B. Sublinhe a palavra correta.

1. **Esse/Essa** móvel é para vender.

2. Onde é que está **o/a** tapete verde?

3. O carro está **no/na** garagem.

4. Gosto muito **deste/desta** sofá.

5. **Este/Esta** fogão é da mãe do Paulo.

6. O teu livro está **naquele/naquela** estante.

7. A tua mala está **no/na** chão.

8. **Esta/Este** luz é muito agradável.

9. Em frente da nossa casa há **um/uma** árvore grande.

C. Complete com *nenhum* ou *algum* na forma correta.

1. A rua não tem trânsito *nenhum*.
2. Esta casa não tem luz _____.
3. No jardim há _____ árvores.
4. No jardim não há _____ flores.
5. Não há _____ estantes nesta sala.
6. _____ destes quartos não têm janela.
7. Esta garagem é grande, mas não tem _____ carro.

D. Faça a correspondência entre as colunas.

1. sala	a. de lavar loiça
2. casa	b. condicionado
3. máquina	c. central
4. rés	d. de estar
5. aquecimento	e. imobiliária
6. ar	f. do chão
7. agência	g. de banho

E. Complete as frases com as divisões da casa.

> na sala de estar / no quarto
> no escritório / na casa de banho
> ~~na cozinha~~ / na garagem

1. Faço o almoço *na cozinha*.
2. Durmo _____.
3. Recebo os amigos _____.
4. Tomo duche _____.
5. Ponho o carro _____.
6. Trabalho _____.

F. Em que partes da casa se encontra normalmente o equipamento e a mobília abaixo indicados? Escreva as palavras da caixa na coluna certa.

banheira forno chuveiro candeeiro
espelho fogão tapete sofá frigorífico

sala de estar	cozinha	casa de banho

G. Complete as frases com os verbos da caixa.

alugar   sair   vender
~~comprar~~   mudar   entrar

1. Não posso *comprar* nada nesta loja porque não tenho dinheiro.

2. Vou _____ um apartamento neste prédio. Custa 600 euros por mês.

3. A Ana quer _____ a casa dela por 150 mil euros.

4. Não queres _____ nesta loja? Há roupa muito barata aqui.

5. Temos que _____ de casa. Esta é muito pequena para a nossa família.

6. Não gosto nada desta rua. É perigosa. Temos que _____ daqui.

H. Escreva o pronome ou o verbo *subir*.

1. *ele* sobe
2. eles _____
3. _____ subimos
4. tu _____
5. _____ subo
6. vocês _____
7. ela _____
8. o senhor _____

I. Escreva o pronome ou o verbo *cair*.

1. *ele* cai
2. vocês _____
3. nós _____
4. _____ cais
5. _____ caio
6. elas _____
7. ela _____
8. o Rui _____

J. Complete com a forma correta do verbo *dizer*.

1. Eles *dizem* que não ouvem nada.

2. Ela _____ que não gosta desta casa.

3. Porque é que _____ que este restaurante é caro? Eu não acho. *(tu)*

4. Nós nunca _____ não.

5. _____ sempre que Lisboa é uma das cidades mais bonitas do mundo. *(eu)*

K. Escreva o verbo *ser* ou *estar* na forma correta.

1. Esta cidade *é* muito segura.

2. A Rita _____ muito vermelha! Não _____ doente, pois não?

3. A casa da Anna _____ muito fria em janeiro.

4. As flores do nosso jardim _____ vermelhas e amarelas.

5. Em Portugal, as casas _____ caras.

6. Porque é que o bacalhau _____ tão caro hoje?

7. O meu café já _____ frio. Quero outro.

8. _____ atrasados! *(nós)*

9. Esta cor _____ muito escura.

10. Porque é que _____ tão escuro aqui?

L. Sublinhe a palavra em que as letras destacadas são pronunciadas de forma diferente das outras.

aula   m**al**   **ao**   m**au**

UNIDADE 23 · NÃO TENHO PLANOS PARA SÁBADO

COMUNICAÇÃO	VOCABULÁRIO	PRONÚNCIA	GRAMÁTICA
organizar um evento ou uma festa, planear e dividir as tarefas	organização de eventos, utensílios de cozinha	pares mínimos, formas do imperativo	imperativo informal regular, verbos em **-ear**

A. Complete as frases com o verbo da caixa na forma correta.

> ~~convidar~~ ajudar preocupar-se
> avisar estragar discutir preparar
> escolher perceber

1. A Tânia nunca *convida* ninguém para a casa dela. Não sei porquê.

2. Não _____ nada do que ela está a dizer. Que língua é aquela? *(eu)*

3. Sou enfermeiro porque gosto de _____ as pessoas.

4. Vamos fazer uma festa. Temos de _____ os vizinhos que vai haver barulho à noite.

5. Vamos fazer o almoço. Eu faço a carne e tu _____ os legumes para a sopa.

6. O cão da nossa vizinha anda sozinho na rua todos os dias. Ela não _____ nada com ele.

7. No sábado vamos à IKEA _____ a mobília para a casa nova.

8. O meu cão não pode ficar sozinho em casa porque _____ a mobília.

9. Os pais da Ana _____ todos os dias. Ela quer sair de casa e ir viver sozinha.

B. Escreva o pronome ou o verbo *passear*.

1. ele *passeia*
2. eles _____
3. _____ passeias
4. eu _____
5. _____ passeamos
6. vocês _____
7. ela _____
8. o senhor _____

C. Complete as frases com as palavras da caixa.

> bem-educado simples divertido
> chato ~~congelado~~

1. O salmão é fresco ou *congelado*?

2. O primeiro exercício é muito _____. Já o segundo é mais difícil.

3. O Rui é um rapaz muito _____. Diz sempre "Bom dia" e "Boa tarde".

4. Este livro não é nada interessante. É muito _____.

5. O André é muito _____. Gosta de brincar.

D. Faça a correspondência entre as frases 1-5 e as respostas a-e.

1. Vou chegar 5 minutos atrasado. [c]
2. Vamos ao restaurante chinês ou indiano? [ ]
3. Encontramo-nos à porta do cinema. Eu compro os bilhetes. [ ]
4. Estou? Posso falar com o arquiteto Pedro Nunes, por favor? [ ]
5. Vou comprar uma casa em Monte Carlo. [ ]

a. Só um momento.
b. Estás a brincar!
c. ~~Não faz mal.~~
d. Combinado!
e. Tanto faz.

E. Complete as frases com as palavras da caixa.

garfo	copo	chávena	faca	prato	~~colher~~

1. Não posso comer a sopa porque não tenho *colher*.

2. Queres uma _____ de chá?

3. Queria um _____ de água, faz favor.

4. O _____ de sopa está sujo.

5. Não posso comer a carne porque não tenho _____ nem _____.

F. Responda às perguntas com o Imperativo afirmativo e negativo.

1. A: Convido a Mafalda?
   B: *Convida.*   Não *convides.*

2. A: Compro mais pão?
   B: _____.   Não _____

3. A: Alugo esta casa?
   B: _____.   Não _____

4. A: Espero por ela?
   B: _____.   Não _____

5. A: Atendo o telefone?
   B: _____.   Não _____

6. A: Fico em casa?
   B: _____.   Não _____

7. A: Caso com ela?
   B: _____.   Não _____

8. A: Pago esta multa?
   B: _____.   Não _____

9. A: Levamos esta mala?
   B: *Levem.*   Não *levem.*

10. A: Bebemos o vinho?
    B: _____.   Não _____

11. A: Tomamos um café?
    B: _____.   Não _____

12. A: Desligamos a televisão?
    B: _____.   Não _____

13. A: Enviamos esta mensagem?
    B: _____.   Não _____

14. A: Vendemos o carro?
    B: _____.   Não _____

15. A: Jogamos xadrez?
    B: _____.   Não _____

16. A: Entramos nesta loja?
    B: _____.   Não _____

G. Faça frases como no exemplo.

1. (*levantar-se*)

   Normalmente, *levanto-me* às 7h00.

   Agora, *estou a levantar-me.*

   Amanhã, *vou levantar-me* às 7h00.

   Levanta-te às 7h00!

   Não te levantes às 7h00!

2. (*falar com a Rute*)

   _____ quase todos os dias.

   _____ agora.

   _____ no próximo sábado.

   _____!

   Não _____!

3. (*limpar a casa*)

   _____ à terça e à quarta.

   Neste momento, _____.

   Na próxima terça, _____.

   _____!

   Não _____!

4. (*andar de bicicleta*)

   _____ todos os dias.

   Agora, _____.

   Amanhã, _____.

   _____!

   Não _____!

5. (*ajudar a mãe*)

   _____ sempre _____.

   Agora, _____.

   Amanhã, _____.

   _____!

   Não _____!

H. Sublinhe a palavra em que a letra destacada é pronunciada de forma diferente das outras.

saber	limpa	câmara	faço

UNIDADE 24

QUERO VISITAR ESTE MUSEU

COMUNICAÇÃO	VOCABULÁRIO	PRONÚNCIA	GRAMÁTICA
falar sobre atrações turísticas, ler informação turística, escrever um postal	lugares de interesse turístico na cidade, acessos, horários e bilheteira	sons [i] e [ĩ]	**trazer**, preposição + pronome pessoal

A. Faça as palavras cruzadas.

Horizontal:

2. Da Liberdade ou Champs-Elysées.
3. Da Luz, de Wembley ou do Maracanã.
5. Eiffel.
7. Hermitage, Louvre ou Guggenheim.
9. Em Roma há muitas ...
10. Do Rossio ou Trafalgar.
11. Lisboa tem sete ...
12. 25 de Abril, Vasco da Gama ou Carlos.

Vertical:

1. Versalhes, Queluz ou Buckingham.
4. A ... Azul fica em Istambul.
6. São Jorge, Neuschwanstein, Windsor ou de Chambord.
8. Em Lisboa há muitos ...
10. Eduardo VII, Hyde, Central ou Retiro.

B. Leia a informação sobre o Museu Nacional do Azulejo em Lisboa. As frases abaixo são verdadeiras ou falsas? Assinale.

MUSEU NACIONAL DO AZULEJO

HORÁRIOS:

DE TERÇA-FEIRA A DOMINGO,
DAS 10H00 ÀS 19H00
ÚLTIMA ENTRADA ÀS 17H30

FECHADO:

SEGUNDA-FEIRA, DOMINGO DE PÁSCOA,
25 DE DEZEMBRO, 1 DE JANEIRO E 1 DE MAIO

BILHETES:

PREÇO NORMAL - 5 euros
PESSOAS COM 65 ANOS OU MAIS - 2,5 euros

ENTRADA LIVRE:

• DOMINGO ATÉ ÀS 14H00
• CRIANÇAS ATÉ AOS 14 ANOS

1. O bilhete mais caro custa 5 euros. V F
2. O museu está aberto todos os dias da semana. V F
3. As pessoas podem entrar no museu das 10h00 às 19h00. V F
4. As pessoas com 65 anos pagam 50%. V F
5. Uma criança de 15 anos paga 50%. V F
6. Ao domingo de manhã, a entrada é gratuita para todos. V F

C. Complete as frases com *levar* ou *trazer* no Infinitivo, no Imperativo ou no Presente do Indicativo.

1. Ana, vais à praia sozinha ou leva os teus filhos?

2. Ana, também vens à praia hoje? Podes _____ alguma coisa para beber porque não temos nada aqui.

3. Teresa, podes _____ o Afonsinho ao médico amanhã? Eu não vou ter tempo.

4. Jorge, podes _____ o meu telemóvel? Está na cozinha.

5. Vou _____ uma sobremesa para a festa da Fátima no sábado.

6. Vais às compras? Então, _____ o carro porque é preciso comprar muita coisa.

7. Estou? Jorge, ainda estás em Paris? Podes _____ um queijo? Gosto tanto dos queijos franceses!

D. Escolha algo de interessante da sua cidade (museu, castelo, igreja, rua, etc.) e faça a descrição. Se necessário, dê informação sobre os horários e preços de entrada.

_____

_____

_____

_____

_____

_____

_____

_____

E. Faça frases escrevendo o verbo na forma correta e acrescentando as preposições e os artigos em falta e faça a contração da preposição com o pronome pessoal. Não mude a ordem das palavras.

1. Ana / não / querer / ir / cinema / com / tu

   A Ana não quer ir ao cinema contigo.

2. Tiago / precisar / falar / com / você / sobre / / nosso / trabalho

   _____

   _____.

3. pai / esperar / por / tu / frente / estação

   _____.

4. eles / falar / sempre / sobre / eu

   _____.

5. aquele / livro / ser / para / tu

   _____.

6. meu / pai / preocupar-se / muito / com / eu

   _____.

7. chefe / precisar / falar / com / nós

   _____.

8. Dra. Ana / encontrar-se / com / os senhores / / amanhã / 14h30

   _____

   _____.

9. minha / mãe / não / lembrar-se / de / você

   _____.

10. Rui / Cristina / morar / perto / de / vocês

    _____.

F. Sublinhe a palavra em que a letra destacada é pronunciada de forma diferente das outras.

1. vista	trânsito	pintar	bilhete
2. comida	assim	amigo	partir

© Lidel – Edições Técnicas, Lda.

NA ESTAÇÃO DE COMBOIOS

A. Complete os diálogos com as palavras da caixa.

esperar	ida	ideia	carruagem	sala
linha	classe	rápido	regresso	bilhete

1. A: Diga, faz favor.

   B: Um _____[1] para Madrid para amanhã em primeira _____[2].

   A: Só _____[3]?

   B: Não. É ida e volta.

   A: E quando é o _____[4]?

   B: Na sexta-feira, dia oito.

2. A: Vamos _____[5] pelo comboio na _____[6] de espera.

   B: Aquele café é mais agradável, não achas? Prefiro ir para lá.

   A: Boa _____[7].

3. A: O nosso comboio está na _____[8] seis.

   B: E qual é a _____[9]?

   A: É a oito. Lugares 45 e 47. _____[10]! Temos pouco tempo!

B. Leia e ordene as frases do diálogo.

☐ Mas isso é daqui a três horas! É muito tempo!

1 Diga, faz favor.

☐ Há lugares no comboio das 14h20.

☐ Sim, sim, vou. Tem de ser.

☐ Não? E no seguinte?

☐ Um bilhete para Coimbra para o próximo comboio, por favor.

☐ Pois é. Mas não posso fazer nada. Vai comprar o bilhete?

☐ Já não há lugares. Está tudo cheio.

VOCABULÁRIO QUE DEVE SABER USAR:

UNIDADE 21

esperar
mudar
pensar
perder
vir

o autocarro
o barco
o caminho
a camioneta
o elétrico
a estação de comboios
o início
o meio de transporte
o metro
a paragem
o plano
o táxi
o trânsito
o turismo

cansativo
confortável
desconfortável
lento
outro
próximo
rápido
seguinte
talvez
a pé

Boa sorte!
Boa viagem!

UNIDADE 22

alugar
cair
descer
dizer
entrar
sair
subir
vender

a agência imobiliária
o anúncio
o aquecimento central
a árvore
a assoalhada
o bairro
a banheira
o candeeiro
o chão
o chuveiro
a cozinha
a divisão
a entrada
as escadas
o espaço
o espelho
a estante
o fogão
o forno
o frigorífico
a garagem
o jardim
a luz
a máquina de lavar loiça
a máquina de lavar roupa
a mobília
a moradia
o móvel
a sala de estar
o sofá
o tapete
o terraço
a varanda
a vista
um bocado

húmido
limpo
nenhum
perigoso
seco
seguro
sujo
tranquilo

UNIDADE 23

ajudar
avisar
convidar
discutir
escolher
estragar
passear
perceber
planear
pôr a mesa
preocupar-se
preparar

a ajuda
a chávena
a colher
a faca
o garfo
a gente
o guardanapo
o prato
a sardinhada
os talheres
o vizinho

chato
congelado
divertido
mal-educado
simples

com atraso
toda a gente

Desculpa lá!
Está combinado!
Estás a brincar!
Não há problema.
Pronto!
Que tal?
Tanto faz.
Um beijo.

UNIDADE 24

abrir
encerrar
fechar

o acesso
o adulto
a avenida
o bilhete
a bilheteira
o castelo
o centro comercial
a colina
o desconto
o edifício
o estádio
a história
o horário
a igreja
a margem
a mesquita
um milhão
o miradouro
o museu
o palácio
o parque
a ponte
o postal
a praça
a torre

correto
errado
famoso
gratuito
querido
anualmente
diariamente

Saudades!

PORTUGUÊS EM AÇÃO 6

despachar-se
a carruagem
a classe
a linha

o regresso
a sala de espera
ida e volta

UNIDADE 25 · ESTOU PERDIDO

COMUNICAÇÃO
interagir nos serviços de utilidade pública, dar e pedir direções

VOCABULÁRIO
serviços de utilidade pública, orientação na cidade

PRONÚNCIA
vogais duplas, som [e], formas do imperativo

GRAMÁTICA
pedir e **seguir**, imperativo formal dos verbos regulares e de **ir**

A. Faça a correspondência entre as colunas.

1. correio	a. municipal
2. cartão	b. de identidade
3. número	c. de dinheiro
4. câmara	d. azul
5. esquadra	e. da conta
6. bilhete	f. de crédito
7. transferência	g. da polícia

B. Complete com as palavras da caixa. Acrescente as preposições e os artigos corretos.

> ~~centro comercial~~ / estádio
> embaixada / multibanco / banco
> correios / hospital / esquadra

1. Quando quero fazer compras, vou *ao centro comercial.*

2. Quando estou doente, vou _____ .

3. Quando quero enviar uma carta, vou
   _____ .

4. Quando estou no estrangeiro e tenho um problema, telefono _____ do meu país.

5. Quando quero levantar dinheiro vou
   _____ .

6. Quando quero ver um jogo de futebol, vou
   _____ .

7. Quando quero um cartão de crédito, vou
   _____ .

8. Quando preciso de ajuda da polícia, vou
   _____ .

C. Escolha a palavra correta.

1. Não te esqueças de *pôr* um selo neste postal.

   (a) pôr   b) fazer   c) levantar

2. O senhor tem de _____ este impresso.

   a) depositar   b) preencher   c) fazer

3. Onde posso _____ dinheiro aqui?

   a) assinar   b) abrir   c) trocar

4. Queria _____ um cartão de crédito.

   a) pedir   b) seguir   c) preencher

5. Venho _____ uma encomenda da China.

   a) pedir   b) buscar   c) enviar

6. Queria _____ 100 euros na minha conta.

   a) assinar   b) preencher   c) depositar

7. Queria _____ uma transferência para o estrangeiro.

   a) enviar   b) pedir   c) fazer

8. Não queres _____ uma conta no meu banco?

   a) levantar   b) abrir   c) trocar

D. Complete a tabela com as formas verbais que faltam.

	pedir	seguir
eu		
tu		*segues*
ele	*pede*	
nós		
eles	*pedem*	

E. Faça frases colocando os verbos no Imperativo formal singular e acrescentando os artigos, as conjunções e as preposições que faltam. Não mude a ordem das palavras.

1. virar / direita / seguir / frente

   Vire à direita e siga em frente.

2. passar / cruzamento / ir / frente

   _____.

3. ir / fim / rua / depois / virar / direita

   _____.

4. ir / aquela / rua / virar / segunda / esquerda

   _____.

5. contornar / rotunda / passar / semáforo

   _____.

6. apanhar / linha verde / sair / última estação

   _____.

F. Complete os diálogos com os verbos na forma correta.

sair estar haver pensar
~~subir~~ saber virar ser descer

1. A: Desculpe, onde é que fica a embaixada do Japão?

   B: *Suba*[1] até ao fim daquela rua e depois _____[2] à direita.

2. A: Desculpe, _____[3] aqui perto um multibanco?

   B: _____[4] que há um ao lado dos correios.

3. A: Desculpe, _____[5] perdido. _____[6] como é que posso _____[7] daqui?

   B: É por aquela porta. Depois tem de _____[8] as escadas.

4. A: Desculpe, onde _____[9] a casa de banho?

   B: É a primeira porta à direita.

G. Responda às perguntas com o Imperativo formal afirmativo e negativo.

1. A: Faço a sopa?

   B: *Faça.*　　　　　Não *faça.*

2. A: Levo o bolo?

   B: _____.　　Não _____.

3. A: Sigo por esta rua?

   B: _____.　　Não _____.

4. A: Peço mais pão?

   B: _____.　　Não _____.

5. A: Digo quem ele é?

   B: _____.　　Não _____.

6. A: Venho cá amanhã?

   B: _____.　　Não _____.

7. A: Saio por esta porta?

   B: _____.　　Não _____.

8. A: Subo as escadas?

   B: _____.　　Não _____.

9. A: Leio este livro?

   B: _____.　　Não _____.

10. A: Vou por esta rua?

    B: _____.　　Não _____.

11. A: Ponho o dinheiro no banco?

    B: _____.　　Não _____.

12. A: Desço as escadas?

    B: _____.　　Não _____.

13. A: Durmo na casa da Ana?

    B: _____.　　Não _____.

14. A: Fecho a porta?

    B: _____.　　Não _____.

H. Sublinhe a palavra em que a letra destacada é pronunciada de forma diferente das outras.

1. trazer	saber	sabe	três
2. segundo	correr	fale	clube

UNIDADE 26

PROVE UMA FRANCESINHA

COMUNICAÇÃO
falar sobre atividades turísticas, ler uma receita culinária

VOCABULÁRIO
experiências e atividades turísticas, receitas culinárias

PRONÚNCIA
sons [e] e [ɛ]

GRAMÁTICA
descobrir, **servir**, **sentir-se** e **conseguir**, locuções conjuncionais

---

A. Complete as frases com as palavras da caixa.

> as caves / a calçada / fado
> uma francesinha / um teleférico
> ~~um jogo~~ / um cruzeiro

1. Amanhã vamos assistir a *um jogo* do Benfica.

2. Quero fazer _____ no Rio Tejo.

3. Não temos de subir a montanha a pé.
   Há _____.

4. Queres comer _____?

5. No sábado podemos visitar _____ do vinho do Porto.

6. Gosto de ouvir _____.

7. _____ portuguesa é muito bonita!

B. Escreva as formas corretas dos verbos *servir* e *conseguir* nas frases.

1. No nosso restaurante não *servimos* álcool antes do meio-dia. *(nós)*

2. Não _____ fazer este exercício sozinho. *(eu)*

3. Esta casa já não _____ para uma família com cinco pessoas. É muito pequena.

4. Tu nunca _____ fazer nada sem a minha ajuda.

5. Aqui _____ almoço depois das 15h? *(os senhores)*

6. Não sei se _____ falar com a chefe. Ela não atende. *(nós)*

7. O senhor _____ levantar-se sozinho?

C. Reescreva as frases usando o Imperativo na 3.ª pessoa formal do singular e do plural.

1. Prova a sopa!
   Prove a sopa!   *Provem a sopa!*

2. Senta-te aqui!
   _____   _____

3. Ouve esta música!
   _____   _____

4. Vê este filme!
   _____   _____

5. Diverte-te!
   _____   _____

6. Põe isso aqui!
   _____   _____

7. Dorme bem!
   _____   _____

8. Espera por mim!
   _____   _____

9. Desce por aqui!
   _____   _____

10. Serve o vinho!
    _____   _____

11. Para na esquina!
    _____   _____

12. Leva dinheiro!
    _____   _____

13. Descobre Portugal!
    _____   _____

D. Complete com o verbo *sentir-se* ou *sentar-se* no Presente do Indicativo.

1. Não me sinto nada bem. *(eu)*
2. Eu _____ nesta cadeira.
3. Eles _____ sempre no sofá.
4. Como _____? *(tu)*
5. Tu nunca _____ aqui, pois não?
6. Onde é que _____? *(nós)*
7. Elas _____ mal.
8. Acho que o Carlos não _____ bem.
9. O meu gato _____ na janela.

E. Junte as partes das frases com *porque*, *por causa da/do* ou *por isso*. Escreva as frases completas nas linhas abaixo.

1.	Aprendo português	a. trânsito
2.	Está a chover	b. há muito barulho aqui
3.	Quero comprar esta casa	c. vista para o mar
4.	Vamos chegar atrasados	d. não vou comprar nada
5.	Vou mudar de hotel	e. vou ficar em casa
6.	Aqui tudo é muito caro	f. é uma língua interessante

1. Aprendo português porque é uma língua interessante.
2. _____
   _____
3. _____
   _____
4. _____
   _____
5. _____
   _____
6. _____
   _____

F. Complete a receita com as palavras da caixa.

> ponha   apetite   primeiro   coza
> ingredientes   manteiga   ovos
> junte   seguir   sirva

MOUSSE DE CHOCOLATE

_____[1] (para 4 pessoas):

250 gramas de cacau

100 gramas de manteiga

3 _____[2]

100 gramas de açúcar

_____[3], junte o cacau à _____[4] e ponha ao lume durante 2-3 minutos (mas não _____[5]!)

A _____[6], junte os ovos ao açúcar e misture bem.

Para acabar, _____[7] todos os ingredientes e _____[8] no frigorífico durante 3 horas.

_____[9] com natas ou com um bom *whiskey* irlandês.

Bom _____[10]!

G. Sublinhe a palavra em que a letra destacada é pronunciada de forma diferente das outras.

> prédio   crédito   mês   sério

UNIDADE 27

DEVES ESTUDAR MAIS

COMUNICAÇÃO
dar conselhos, expressar probabilidade, falar sobre práticas culturais

VOCABULÁRIO
tarefas domésticas, práticas culturais

PRONÚNCIA
sons [e] e [ɛ], letras **b** e **p**

GRAMÁTICA
dever e **dar**, imperativo irregular, complemento indireto e direto, advérbios

---

A. O que é que a Maria Joaquina tem de fazer? Escolha a palavra correta e ponha-a no Imperativo.

1. Maria Joaquina, limpe o pó das estantes e da secretária!

   a) arrumar   b) lavar   c) limpar

2. Maria Joaquina, _____ o quarto dos rapazes!

   a) arrumar   b) passar   c) pôr

3. Maria Joaquina, _____ a roupa a ferro!

   a) lavar   b) passar   c) limpar

4. Maria Joaquina, _____ o lixo na rua!

   a) arrumar   b) levar   c) pôr

5. Maria Joaquina, _____ os tapetes!

   a) pôr   b) aspirar   c) passar

6. Maria Joaquina, _____ a roupa dos rapazes!

   a) lavar   b) colocar   c) servir

B. Complete as frases com as palavras da caixa.

devagar   alto   baixo   rápido

1. Pode falar mais _____? Estou com pressa.

2. Pode falar mais _____? Já é meia-noite. As pessoas estão a dormir.

3. Pode falar mais _____? Não oiço nada.

4. Pode falar mais _____? Não percebo nada. O meu português ainda não é bom.

C. Complete as frases nos diálogos, utilizando *dever* e as expressões da caixa. Acrescente os verbos que faltam.

a tua mãe / doente / grego / com fome muito dinheiro / ~~muito cansado~~

1. A: Já são 10 da noite e o Miguel ainda está a trabalhar.

   B: Deve estar muito cansado.

2. A: Aquele rapaz chama-se Christos. Sabes de onde é?

   B: _____.

3. A: O Manuel tem um Porsche.

   B: Deve _____.

4. A: A Joana não está hoje no escritório. Está de férias?

   B: Não. Ela nunca tira férias. _____.

5. A: O telefone está a tocar. Quem pode ser?

   B: _____. Só ela é que telefona a esta hora.

6. A: O teu cão está na cozinha a olhar para o frigorífico.

   B: _____.

D. Escreva o pronome ou o verbo *dar*.

1. ele dá
2. eles _____
3. _____ dás
4. ela _____
5. _____ damos
6. vocês _____
7. eu _____
8. o Jorge _____

E. Leia as frases e escreva os conselhos. Use o verbo *dever*.

1. Ganho muito pouco. Os meus colegas ganham muito mais, mas não trabalham tanto como eu. O que devo fazer?

   Deve _____
   _____
   _____

2. Chego sempre atrasado ao escritório. Saio de casa cedo, mas, depois, perco muito tempo no trânsito. O trânsito de manhã é horrível. O que devo fazer?

   _____
   _____
   _____

3. A nossa filha tem problemas na escola. Não é boa aluna. Diz que os professores não gostam dela. O que devemos fazer?

   _____
   _____
   _____

4. A minha mulher é estrangeira e fala sempre com o nosso filho na língua dela. Eu não percebo nada. O que devo fazer?

   _____
   _____
   _____

5. Os nossos vizinhos fazem barulho à noite e nós não conseguimos dormir. O que devemos fazer?

   _____
   _____
   _____

6. O meu vizinho tem muitos gatos. Quando não estou em casa, os gatos dele entram por uma janela da minha casa. O que devo fazer?

   _____
   _____
   _____

F. Complete as frases com o verbo *dar* na forma correta do Imperativo.

1. Jorge, *dá* esse livro ao Rui! Tu não precisas dele.

2. Ana, não _____ mais dinheiro ao teu filho. Ele já tem 22 anos e já trabalha.

3. Não _____ esse peixe ao vosso gato. Acho que já não está bom.

4. Sr. Costa, _____ esta carta à sua mulher, se faz favor!

5. D. Eunice, não _____ estas chaves a ninguém! Estas são as únicas que temos.

6. Pedro, _____ um dos teus dicionários à Joana. Tu tens muitos e ela não tem nenhum.

7. _____ este bilhete à Dra. Fátima Fernandes, se fazem favor. Ela mora no vosso andar, não mora?

G. Complete as frases com o artigo e/ou a preposição.

1. Não mostres este livro *à* Mafalda.

2. Pergunta ____ Mário o que devemos fazer.

3. Não vejo ____ tua mãe aqui. Onde é que ela está?

4. Dou flores ____ minha mulher.

5. Estás a ouvir ____ nossos filhos? Porque é que estão tão calmos?

6. Ajudo sempre ____ D. Filomena nas tarefas domésticas.

7. Digo ____ pai que já estás aqui?

8. Manda ____ Jorge um postal.

H. Sublinhe a palavra em que a letra destacada é pronunciada de forma diferente das outras.

m**e**tro cin**e**ma jan**e**la n**e**to

UNIDADE 28
AMANHÃ VAI CHOVER

COMUNICAÇÃO
descrever carácter, descrever clima, falar sobre tempo meteorológico

VOCABULÁRIO
adjetivos de carácter, estações do ano, tempo meteorológico, clima, pontos cardeais

PRONÚNCIA
acento, ditongos [ew] e [ɛw], som [õ]

GRAMÁTICA
superlativo absoluto

A. Complete as frases com os adjetivos da caixa na forma correta.

> falador   teimoso   organizado
> preguiçoso   tímido   sociável

1. O Paulo nunca fala com ninguém e não olha para as pessoas. Quando alguém começa a falar com ele, ele não sabe o que dizer. É muito _____.

2. A Margarida fala, fala, fala. Tem sempre alguma coisa para dizer. Só não diz nada quando está doente. Ela é muito _____.

3. O José não ouve os conselhos das outras pessoas. Faz sempre o que quer. Ele é muito _____.

4. A Joana sabe sempre o que vai fazer e onde vai estar no dia seguinte. Planeia tudo. Não gosta de mudar de planos. Ela é uma rapariga muito _____.

5. O Martim já tem 23 anos, mas não estuda nem trabalha. Diz que o trabalho não é para ele. Passa os dias no sofá a dormir ou a ver televisão. É uma pessoa muito _____.

6. O Pedro tem muitos amigos e passa todo o tempo com eles. Nunca está em casa. Vai a festas e encontros quase todos os dias. Ele é muito _____.

B. Acabe as definições.

1. Uma pessoa impaciente _____ _____

2. Uma pessoa indecisa _____ _____

3. Uma pessoa desarrumada _____ _____

4. Uma pessoa trabalhadora _____ _____

C. Complete as frases com as palavras da caixa e o verbo *estar (a)*, *haver* ou *fazer* na forma correta.

> nevoeiro / calor / muito vento
> frio / ~~com nuvens~~ / nevar / chover

1. Quando o céu *está com nuvens,* pode chover.

2. Quando _____, as árvores, as casas e as ruas ficam todas brancas.

3. Quando _____, as pessoas ficam em casa. Quem tem de ir à rua leva um chapéu de chuva.

4. Quando _____, as pessoas vão à praia tomar banho e apanhar sol.

5. Quando _____, as pessoas ligam o aquecimento em casa.

6. Quando _____, as pessoas têm de conduzir muito devagar porque não conseguem ver bem a estrada.

7. Quando _____, algumas árvores podem cair.

D. Olhe para as imagens e faça frases usando os adjetivos da caixa na forma do superlativo absoluto.

~~limpo~~	bom	velho	rápido
difícil	lindo	alto	perigoso

1

2

1. Este carro está *limpíssimo*.
2. Esta rapariga é _____.

3

4

3. Este edifício é _____.
4. Este bairro é _____.

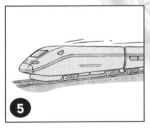
5

6

5. Este comboio é _____.
6. Este hotel é _____.

7

8

7. Este exercício é _____.
8. Este prato é _____.

E. Como é o clima na sua cidade? Descreva-o.

_____
_____
_____
_____
_____
_____
_____
_____
_____

F. Olhe para as caixas e complete as frases com *norte, sul, este* ou *oeste* e com as preposições necessárias.

1. Badajoz fica *a este de* Lisboa.

Lisboa	Badajoz

2. Córdoba fica _____ Málaga.

Córdoba
Málaga

3. Atenas fica _____ Salónica.

Salónica
Atenas

4. Belém fica _____ Manaus.

Manaus	Belém

5. Milão fica _____ Veneza.

Milão	Veneza

G. Sublinhe a palavra em que as letras destacadas são pronunciadas de forma diferente das outras.

t**eu**s c**éu** **eu**ro mus**eu**

NO HOTEL

A. Faça a correspondência entre as frases e os símbolos.

a. Neste hotel, há um bar. `4`

b. Este hotel tem estacionamento. ☐

c. Neste hotel, há quartos duplos. ☐

d. Neste hotel, há quartos para fumadores. ☐

e. Neste hotel, os animais não são bem-vindos. ☐

f. Neste hotel, há um restaurante. ☐

g. Este hotel tem quartos individuais. ☐

h. Neste hotel, as famílias são bem-vindas. ☐

B. Complete o diálogo com as palavras da caixa.

corredor	chave	elevador
preço	noite	quarto	~~reserva~~

A: Boa noite!

B: Boa noite. Tenho uma *reserva*[1] neste hotel.

A: Em que nome?

B: António Oliveira.

A: _____[2] individual, uma _____[3].

B: É isso.

A: Aqui tem a _____[4]. Quarto 711.
   O pequeno-almoço é das 7h às 10h.

B: Está incluído no _____[5]?

A: Está, sim.

B: O _____[6] é onde?

A: Ao fundo do _____[7], à sua direita.

B: Obrigado.

VOCABULÁRIO QUE DEVE SABER USAR:

UNIDADE 25

assinar
contornar
depositar
estar perdido
levantar
mandar
parar
pedir
preencher
seguir
trocar
virar

o banco
a câmara municipal
a carta
o/a cliente
a conta (bancária)
o correio
os correios
o cruzamento
a embaixada
a encomenda
o envelope
a esquadra de polícia
a esquina
o formulário
o funcionário
o impresso
a informação
o multibanco
a rotunda
o selo
o semáforo
a transferência

avariado
normal
logo
à direita
à esquerda
ao longo de
em frente

Não funciona!

UNIDADE 26

admirar
assistir
colocar
conseguir
cozer
descobrir
explorar
juntar
misturar
provar
sentir-se
servir
tapar

o azulejo
a beleza
a calçada
o carioca
as caves de vinho
o cruzeiro
o elevador
a fatia
o ingrediente
o molho
a receita (culinária)
o teleférico

lisboeta
finalmente
por causa de
por isso

Primeiro,...
A seguir,...
A sério?
Bom apetite!

UNIDADE 27

arrumar
aspirar
brindar
dar
dever
lavar
passar a ferro

o costume
a cultura
o lixo
a louça
o sapato

devagar
provavelmente

UNIDADE 28

nevar

o céu
o chapéu de chuva
a chuva
o clima
a estação do ano
o este
o inverno
a neve
o nevoeiro
o norte
a nuvem
o oeste
o outono
a primavera
o sul
o vento
o verão

bem-disposto
calado
desarrumado
falador
impaciente
indeciso
inteligente
organizado
preguiçoso
romântico
sociável
teimoso
tímido
trabalhador

abaixo
acima

PORTUGUÊS EM AÇÃO 7

o corredor
o quarto duplo
o quarto individual
a receção
ao fundo de
É isso!

COMUNICAÇÃO
descrever ações
do passado
e momentos
marcantes da vida

VOCABULÁRIO
momentos
marcantes da vida

PRONÚNCIA
acento,
ditongo [ɐj],
formas verbais

GRAMÁTICA
P.P.S. dos verbos
regulares em –**ar**
e do verbo **ser**,
advérbios,
acabar de

A. Escreva as formas verbais do Presente do Indicativo no P.P.S.

1. (nós) adoramos   *adorámos*
2. (eles) falam   _____
3. (tu) gostas   _____
4. (ele) viaja   _____
5. (nós) lavamos   _____
6. (eles) arrumam   _____
7. (eu) coloco   _____
8. (nós) estragamos   _____
9. (eu) levo   _____
10. (tu) voltas   _____
11. (ela) acorda   _____
12. (eu) danço   _____

B. Faça frases no P.P.S. Acrescente os artigos, as preposições e faça todas as outras alterações necessárias. Não mude a ordem das palavras.

1. Jorge / ficar / este / hotel / 2010
   O Jorge ficou neste hotel em 2010.
2. Ana / morar / este / bairro / dois / ano
   _____
3. ela / trabalhar / aqui / muito / ano
   _____
4. eles / estudar / aquele / universidade
   _____
5. nós / casar / 2004
   _____
6. Rita / comprar / este / apartamento / maio
   _____
7. meus / pais / mudar / casa / muito / vez
   _____

C. Complete as frases com acabar ou acabar de no P.P.S.

1. A Sofia *acabou* o curso em 2010.
2. _____ almoçar. (nós)
3. As aulas _____ mais cedo.
4. O Dr. Santos _____ falar comigo.
5. _____ limpar a cozinha e já está toda suja outra vez! (eu)
6. Tu ainda não _____ os exercícios, pois não?

D. Complete com foi ou fui.

1. Nunca *fui* à China. (eu)
2. Qual de vocês _____ a Macau?
3. O meu dia _____ muito mau.
4. Não _____ eu!
5. _____ tudo muito bom!
6. No fim de semana, _____ à praia. (eu)

E. Complete as frases com os advérbios formados a partir dos adjetivos da caixa.

frequente	final	imediato	~~infeliz~~	fácil

1. *Infelizmente*, já não há bilhetes para o filme que queremos ver!
2. Vai _____ para casa! Precisam de ti!
3. _____, chegámos! A viagem foi tão cansativa!
4. A Rita come peixe _____.
5. Esta porta abre muito _____.

F. Faça a correspondência entre as imagens e as expressões da caixa.

☐ comprar casa	☐ deixar de fumar
☐ entrar para a universidade	☐ casar
h divorciar-se	☐ reformar-se
☐ terminar o curso	☐ começar a trabalhar

a 1970

b 1965

c 1966

d 1960

e 2006

f 1972

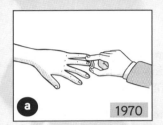
g 1974

h 1986

G. Use as expressões do exercício anterior no P.P.S. para completar a história da vida do Pedro.

O Pedro *entrou para a universidade*[1] em 1960 e _____[2] em 1965. No ano seguinte, em 1966, _____[3]. _____[4] em 1970. Dois anos mais tarde, em 1972, _____[5]. _____[6] em 1974. Em 1986, _____[7]. _____[8] em 2006.

H. Complete as frases com os verbos da caixa na forma correta no P.P.S. ou no Infinitivo.

abrir	mudar	decorar	demorar	ser

1. A festa na casa do Pedro _____ um grande êxito.
2. O Jorge e a Ana querem _____ um negócio.
3. Não sei como devo _____ a minha sala. Tens alguma ideia?
4. O João _____ de trabalho ou continua a trabalhar na empresa do pai dele?
5. Hoje de manhã, a Ana _____ muito tempo a chegar ao trabalho.

I. Escreva o verbo na forma correta do P.P.S.

1. Aspirei toda a casa. (*eu/aspirar*)
2. Aqui nunca _____. (*nevar*)
3. Eles _____ em 2009. (*divorciar-se*)
4. Aquela máquina nunca _____ bem. (*funcionar*)
5. Porque é que não _____ o dinheiro? (*tu/trocar*)
6. O Hugo não _____ a Margarida para a festa. (*convidar*)
7. Eles já _____ no avião. (*entrar*)
8. Não _____ a mensagem à Dra. Paula Oliveira. (*eu/enviar*)
9. Ela _____ para mim. (*olhar*)

J. Sublinhe a palavra em que a letra destacada é pronunciada de forma diferente das outras.

cant**a**mos	fal**á**mos	danç**a**mos	pass**a**mos

© Lidel – Edições Técnicas, Lda.

UNIDADE 30

ONTEM DIVERTI-ME MUITO

COMUNICAÇÃO	VOCABULÁRIO	PRONÚNCIA	GRAMÁTICA
descrever ações do passado, relatar experiências	tempos livres	acento, ditongos [ew] e [iw], formas verbais	P.P.S. dos verbos regulares em –er, –ir e do verbo ir, costumar, andar (a) + inf./adj.

A. Faça frases acrescentando os artigos, as preposições e fazendo todas as outras alterações necessárias. Não mude a ordem das palavras.

1. ela / sentir-se / bem / este / cidade
   Ela sente-se bem nesta cidade.

2. ele / não / ter / tempo / ir / cinema
   _____.

3. Ana / não / ter / interesse / ver / este / filme
   _____.

4. Paulo / sentir / falta / filhos
   _____.

5. Anke / ter / muito / saudades / país / dela
   _____.

B. Escreva as formas verbais do Presente do Indicativo no P.P.S.

1. *(ele)* parte — partiu
2. *(eu)* decido — _____
3. *(tu)* perdes — _____
4. *(ele)* serve — _____
5. *(nós)* vendemos — _____
6. *(eles)* abrem — _____
7. *(eu)* consigo — _____
8. *(nós)* discutimos — _____
9. *(eu)* preencho — _____
10. *(tu)* percebes — _____
11. *(ele)* recebe — _____
12. *(eu)* aprendo — _____
13. *(tu)* conheces — _____
14. *(ele)* prefere — _____
15. *(eu)* bebo — _____

C. O que é que fez ontem? Complete as frases usando os verbos dados e acrescentando mais informação, se necessário.

1. Ontem, visitei a minha irmã. *(visitar)*
2. Ontem, _____ às _____. *(levantar-se)*
3. Ontem, _____ ao almoço. *(comer)*
4. Ontem, _____ ao almoço. *(beber)*
5. Ontem, _____ de casa às _____. *(sair)*
6. Ontem, _____ a casa às _____. *(chegar)*
7. Ontem, _____ com _____. *(falar)*
8. Ontem, _____ uma mensagem do/da _____. *(receber)*
9. Ontem, _____ à/ao _____. *(telefonar)*
10. Ontem, _____. *(comprar)*
11. Ontem, _____ de/a _____. *(andar)*

D. Complete as formas verbais no P.P.S.

1. Falei com a Joana ontem. *(eu)*
2. Reserv____ um quarto neste hotel. *(eu)*
3. Nunca viv____ nesta casa. *(eu)*
4. Nunca conduz____ um autocarro. *(eu)*
5. Tom____ o pequeno-almoço? *(tu)*
6. Vend____ o teu carro? *(tu)*
7. Ouv____ aquele barulho? *(tu)*
8. O João volt____ para casa às cinco da manhã.
9. A Rita com____ todas as laranjas.
10. O comboio part____ às 17h30.
11. Vocês não fech____ a porta!

E. Escreva os verbos *ir* e *ser* na forma correta. Complete os diálogos com as palavras da caixa.

uma peça / um filme / a exposição

1. A: Ontem, fui[1] *(ir)* ao cinema.

   B: O que é que _____[2] *(ir)* ver?

   A: _____[3] *(ir)* ver _____[4] com a Angelina Jolie.

   B: E gostaste? _____[5] *(ser)* bom?

   A: Adorei.

2. A: Ontem, _____[6] *(ir)* a uma galeria de arte.

   B: _____[7] *(ir)* ver o quê?

   A: _____[8] *(ir)* ver _____[9] de fotografia da minha amiga Joana.

3. A: Ontem, _____[10] *(ir)* ao teatro.

   B: O que é que _____[11] *(ir)* ver?

   A: _____[12] de Henrik Ibsen. Gostei imenso!

   _____[13] *(ser)* muito boa. Tens de ir também.

F. Escreva frases com o verbo *costumar* sobre o que normalmente faz.

1. Às segundas de manhã, *costumo trabalhar.*

2. Às sextas à noite, _____

   _____

3. Aos sábados de manhã, _____

   _____

4. Aos domingos à tarde, _____

   _____

5. Às quartas, na hora do almoço, _____

   _____

G. Faça frases com *andar a* + Infinitivo.

1. A Sofia *anda a estudar* chinês. *(estudar)*

2. O Rui _____ casas neste bairro. Acho que ele quer mudar-se para cá. *(ver)*

3. A Ana _____ em casar comigo. *(pensar)*

4. O José _____ muito *jazz*. *(ouvir)*

5. Porque é que tu agora nunca telefonas para mim? O que é que _____? *(fazer)*

H. Escreva as perguntas, com o verbo no P.P.S., adequadas às respostas.

1. *Com quem foste a Paris? (ir)*
   Com os meus pais.

2. _____? *(ler)*
   Porque não é nada interessante.

3. _____? *(chegar atrasado)*
   Porque me levantei muito tarde.

4. _____? *(vender)*
   Em fevereiro.

5. _____? *(telefonar)*
   Porque me esqueci.

6. _____? *(beber)*
   Uma caipirinha e dois *mojitos*.

7. _____? *(fazer)*
   Fui ao cinema.

8. _____? *(gostar)*
   Sim, gostei muito.

I. Sublinhe, nas formas verbais seguintes, a sílaba acentuada.

1. parte	partiu	partiram	parti
2. fechou	fechamos	fechámos	fechas
3. bebeu	bebam	beberam	bebi

COMUNICAÇÃO

perguntar e informar
sobre experiências

VOCABULÁRIO

experiências,
atividades
de tempos livres

PRONÚNCIA

conjunto **sm**,
letras **v** e **f**

GRAMÁTICA

P.P.S. dos verbos
estar, **ter**, **fazer** e **ver**,
advérbios de tempo,
mesmo

A. Faça a correspondência entre as colunas.

1. fazer	a. num exame
2. andar	b. campismo
3. chumbar	c. mergulho
4. fazer	d. a perna
5. partir	e. esqui
6. fazer	f. a cavalo

B. Use as expressões do exercício A para fazer perguntas.

1. *Já alguma vez fizeste campismo?*

2. *Já* _____?

3. _____?

4. _____?

5. _____?

6. _____?

C. Responda às perguntas do exercício B de acordo com as suas experiências (por exemplo: *Sim, muitas vezes.* ou *Não, nunca.*)

1. _____

2. _____

3. _____

4. _____

5. _____

6. _____

D. Escreva as formas verbais do Presente do Indicativo no P.P.S.

1. *(tu)* estás — *estiveste*

2. *(ela)* faz — _____

3. *(eu)* estou — _____

4. *(tu)* vês — _____

5. *(ele)* vê — _____

6. *(eu)* faço — _____

7. *(eu)* vejo — _____

8. *(nós)* vemos — _____

9. *(ele)* tem — _____

10. *(nós)* temos — _____

E. Faça perguntas com as palavras dadas.

1. é / falaste / a / pela / quando / tua / vez / que / / irmã / última / com

Quando é que falaste pela última vez com a tua irmã?

2. foi / que / última / quando / foste / a / médico / / vez / ao

_____

_____?

3. fora / vez / que / quando / última / é / pela / / jantaste

_____

_____?

4. viste / pais / foi / que / quando / a / teus / vez / / os / última

_____

_____?

F. Complete com os artigos e com as letras que faltam nas formas de *mesmo*.

1. *a* mesm*a* coisa
2. ___ mesm__ nuvens
3. ___ mesm__ exame
4. ___ mesm__ costumes
5. ___ mesm__ exposição
6. ___ mesm__ casal
7. ___ mesm__ ambiente
8. ___ mesm__ conversa

G. Reescreva as frases substituindo *em (...)* pela locução *há (...) anos/meses*.

1. O Eduardo esteve no Japão em 2004.

   O Eduardo esteve no Japão há (...) anos.

2. O Ricardo partiu o braço em 2005.

   _____.

3. Em Lisboa, nevou pela última vez em 2006.

   _____.

4. O Rui começou a estudar alemão em 2002.

   _____.

5. A Maria José reformou-se em maio.

   _____.

6. A Rita conheceu o Jorge em fevereiro.

   _____.

7. A Ana alugou esta casa em 2011.

   _____.

8. O Manuel partiu para o Brasil em abril.

   _____.

H. Complete com o verbo no Presente do Indicativo ou no P.P.S.

1. O que é que ela *fez* ontem para o almoço? *(fazer)*

2. Às vezes _____ os meus amigos para a minha casa. *(convidar)*

3. Não _____ encontrar-me com o João quando ele esteve em Lisboa. *(eu/conseguir)*

4. No mês passado _____ no exame de francês. *(nós/chumbar)*

5. Normalmente, _____ um pouco antes de dormir. *(eu/ler)*

6. Os meus pais _____ há muitos anos. *(reformar-se)*

7. A Gabriela e o Jorge _____ no próximo mês. *(casar-se)*

8. _____ dinheiro na minha conta nesta semana ou na semana passada? *(tu/depositar)*

9. _____ tudo já na sexta-feira passada. *(nós/planear)*

10. Acho que já _____ este filme. *(nós/ver)*

11. Onde é que o João _____ ontem à noite? *(estar)*

12. Eles _____ as chaves de casa ontem. *(perder)*

13. Já alguma vez _____ à Tailândia? *(tu/ir)*

I. Sublinhe a palavra em que a letra destacada é pronunciada de forma diferente das outras.

| jardim | mesmo | mostrar | inteligente |

COMUNICAÇÃO

falar sobre os hábitos e experiências de dar prendas e emprestar coisas

VOCABULÁRIO

prendas, adjetivos

PRONÚNCIA

letras **t** e **d**, pronome **lhe(s)**, pares mínimos

GRAMÁTICA

P.P.S. do verbo **dar**, **pouco/um pouco**, pronome **lhe(s)**

A. Reescreva as frases substituindo a parte sublinhada por *lhe* ou *lhes*.

1. Mostra <u>aos pais</u> o que fizeste.

   Mostra-lhes o que fizeste.

2. Não digas <u>à Susana</u> que estou aqui.

   _____.

3. Podes perguntar <u>ao José</u> quando é que ele cá vem?

   _____?

4. Dei <u>à Ana</u> uma prenda muito gira.

   _____.

5. Porque é que não queres telefonar <u>aos teus amigos</u>?

   _____?

6. Traz uma cadeira <u>para o pai</u>.

   _____.

7. Quando é que vais escrever <u>aos teus filhos</u>?

   _____?

8. Porque é que compraste um CD <u>para a Beatriz</u>?

   _____?

9. Acho que deves mandar uma mensagem <u>ao Rui e à Vanda</u>.

   _____.

10. Devolveste as cadeiras <u>aos vizinhos</u>?

    _____?

11. Nunca ofereças flores <u>à minha mãe</u>. Ela é alérgica.

    _____.

B. Escreva as letras que faltam nos adjetivos.

1. B O N I T O
2. _ _ Ú T I L
3. P R Á _ _ _ O
4. _ S P _ _ _ A L
5. B A _ _ L
6. _ _ T _ P I D O
7. I N T _ R _ _ _ A N _ _

C. Complete as frases com *pouco* + adjetivo na forma correta. Use os adjetivos da caixa.

claro interessante saudável
inteligente prático ~~seguro~~

1. Vivemos num bairro muito *pouco seguro*. Não costumamos sair de casa à noite.

2. Esta prenda é bonita, mas _____. Não serve para nada.

3. Já vi este filme e acho que é _____. Tu também não vais gostar dele.

4. O que vocês fizeram foi muito _____. Nunca mais façam uma coisa dessas.

5. Este exercício é _____. Não percebo o que tenho de fazer.

6. Este prato tem muito açúcar. É _____.

D. Complete as frases com os verbos da caixa na forma correta.

> oferecer / escolher / ~~inserir~~ / encomendar
> devolver / pedir emprestado / mostrar
> emprestar / depender

1. A: Desculpe, como é que pago o estacionamento?

   B: Tem de *inserir* o bilhete de estacionamento aqui.

2. A: Que carro vais comprar?

   B: Não sei. _____ do preço.

3. A: Quando é que _____ o livro que pediste emprestado ao João no ano passado?

   B: Eu? Que livro? Não me lembro de nada.

4. A: Vou fazer um jantar em casa para 12 pessoas e não tenho tantas cadeiras.

   B: Porque é que não _____ aos vizinhos? Eu faço sempre assim.

5. A: Podes _____ o teu carro ao António?

   B: Não posso. Amanhã vou precisar dele.

6. A: Queria _____ um bolo de anos para esta sexta-feira.

   B: Com certeza. Em que nome fica?

7. A: Deste alguma coisa ao Pedro no aniversário dele?

   B: Claro! _____-lhe o último romance do José Luís Peixoto.

8. A: Preciso da tua ajuda para _____ a prenda para a mãe.

   B: Está bem. Vamos às compras amanhã.

9. A: Podes _____ à minha mãe onde é a casa de banho?

   B: Claro que sim.

E. Complete com as formas do verbo *dar* no P.P.S.

	dar
eu	
tu	*deste*
ele	
nós	
vocês	*deram*
eles	

F. Complete as frases com as palavras da caixa.

> dono miúdo perfume concerto ~~roupa~~
> sobretudo presente apenas igualmente

1. O Miguel usa sempre *roupa* muito feia.

2. Queres ir ao _____ de *jazz*?

3. Quem é o _____ deste cão?

4. Este candeeiro custa _____ 120 euros.

5. Este livro é um _____ para a tua irmã.

6. Gosto _____ de dar e receber prendas.

7. Aquele _____ é filho da tua vizinha?

8. Que _____ tens hoje? É muito bom.

9. Gosto, _____, de mousse de chocolate.

G. Complete as frases com as preposições que faltam.

1. Este romance é *sobre* a tua cidade.

2. _____ quem vais dar este livro?

3. _____ que ocasiões bebes álcool?

4. Este tipo de carro custa _____ 8 até 10 mil euros.

5. Não emprestes isto _____ ninguém!

6. Isto não depende _____ mim.

NUMA LOJA DE ROUPA

A. Sublinhe a palavra correta nos diálogos.

1. A: Ana, que tal estas calças? Gostas?

    B: São muito **largas/curtas/apertadas**, não achas? Não queres ver outro tamanho, mais comprido?

2. A: Estes sapatos não são **compridos/apertados/ /curtos?**

    B: São. Um bocado.

    A: Pede um tamanho maior.

    B: Não há. Já perguntei.

3. A: A Ana usa sempre roupa muito **apertada/ /larga/comprida.**

    B: Pois é. Ela agora está muito magra, mas usa o mesmo número de roupa que há 5 anos.

B. Complete o diálogo com as palavras que faltam.

A: Boa tarde. Precisa de a_____¹?

B: Sim, gosto destas calças, mas não gosto desta c_____². Queria uma cor mais escura.

A: E qual é o seu t_____³?

B: 39.

A: Vamos ver então. Aqui está. Azul-escuro. Número 39.

B: Ótimo. Onde posso e_____⁴?

A: Os g_____⁵ de prova são lá ao fundo.

(5 minutos mais tarde)

A: Então, como fica? Gosta?

B: Sim, gosto. Mas não acha que estão um pouco largas? Se calhar devo ver o tamanho mais p_____⁶.

A: Eu não acho. Acho que estas calças f_____⁷-lhe muito bem!

B: Acha? Qual é o p_____⁸?

A: São 39 euros.

B: Está bem. Vou levar.

UNIDADE 29
a
UNIDADE 32

UNIDADE 29

acabar de
continuar
decorar
deixar de
demorar
divorciar-se
mudar-se
reformar-se
terminar

a arte
o curso
o emprego
a entrevista
o êxito
a galeria de arte
o negócio

imediato
imenso
imediatamente
simplesmente

UNIDADE 30

andar a
costumar
despedir-se
ir-se embora
sentir a falta
ter saudades

o ambiente
a conversa
a exposição
a frequência
a imperial
o/a jovem
a peça (de teatro)
o pessoal

estúpido
apenas
sem interesse

Nem pensar!

UNIDADE 31

adormecer
andar a cavalo
chorar
chumbar
fazer campismo
fazer esqui
fazer mergulho
namorar
partir (a perna)
roubar

a bomba de gasolina
o casal
o exame
o Pai Natal
a perna
a resposta

bronzeado
certo
guloso
igual
juntos
anteontem
ontem

UNIDADE 32

amar
depender
devolver
embrulhar
emprestar
encomendar
inserir
mostrar
oferecer
pedir emprestado

o amor
o brinquedo
o CD
o concerto
os doces
o dono
o jardim zoológico
a lua
o miúdo
a ocasião
o papagaio
o pedaço
o perfume
a prenda
o presente
o produto de beleza
o romance
o tipo
o urso

alérgico
banal
especial
inútil
prático
útil
desde
sobretudo
por exemplo

É para oferta?

PORTUGUÊS EM AÇÃO 8

experimentar
as calças
o gabinete de prova
o tamanho
apertado
Fica-lhe bem!

ESTAS CALÇAS FICAM-TE BEM!

COMUNICAÇÃO	VOCABULÁRIO	PRONÚNCIA	GRAMÁTICA
dar conselhos e opiniões sobre roupa, descrever o modo de se vestir	lojas, compras, vestuário	sons [k] e [g]	**vestir** e **despir**, **lá** como negação, pronomes pessoais complemento indireto

A. Faça as palavras cruzadas.

Horizontal:

3. Os homens usam com fato e camisa.
4. Calças + ... = fato.
6. Calçado para frio ou neve.
7. Calçado para a praia e dias de calor.
10. Calçado para fazer desporto.
11. Por baixo do casaco e da gravata.
12. Numa sapataria.

Vertical:

1. Roupa para mulheres: saia ou .....
2. Roupa formal para homens.
4. Roupa informal para dias frios.
5. Para homens e mulheres, mais curtos do que as calças.
8. Para mulheres, pode ser curta ou comprida.
9. Peça de roupa que tapa as pernas.

B. Sublinhe a palavra correta.

1. Para comprar pão vai a...

   a) um talho   b) <u>uma padaria</u>   c) uma papelaria

2. Para comprar lápis e canetas vai a...

   a) um talho   b) uma livraria   c) uma papelaria

3. Para comprar carne vai a...

   a) um talho   b) um quiosque   c) uma sapataria

4. Para comprar umas botas vai a...

   a) um quiosque   b) uma padaria   c) uma sapataria

5. Para comprar um jornal vai a...

   a) um talho   b) um quiosque   c) uma padaria

C. Complete as frases com o verbo da caixa na forma correta do Presente do Indicativo ou Infinitivo.

> importar-se   experimentar   parecer   ~~ir~~
> andar   tirar   calçar   despir-se

1. A Judite *vai* sempre aos saldos.

2. Porque é que não _____? Não podes estar na praia de calças e camisa!

3. O senhor quer _____ essa camisa? Os gabinetes de prova são ali.

4. Não _____ de acender a luz? *(tu)*

5. Está a nevar! Vou _____ as botas hoje.

6. Detesto _____ de fato e gravata.

7. Em Portugal, não tens de _____ os sapatos quando vais a casa de alguém.

8. A Joana _____ mais velha com aquela roupa e aquele cabelo.

D. Complete as frases com o pronome, na forma correta do complemento indireto, antes ou depois do verbo.

1. Nunca *me* dizes _____ o que fazes. *(eu)*

2. _____ Mostra _____ onde eles estão! *(nós)*

3. O que é que _____ deste _____? *(ela)*

4. Quero _____ oferecer _____ um livro. *(tu)*

5. Já _____ perguntei _____ onde estão as chaves. *(vocês)*

6. Vais _____ telefonar _____ ou não? *(eles)*

7. _____ traz _____ um copo de leite! *(eu)*

8. Porque é que não _____ escreveste _____? *(nós)*

9. Quando é que _____ mandas _____ a mensagem? *(eu)*

10. Nunca mais _____ empresto _____ nada! *(tu)*

11. Tira essas calças! Não _____ ficam _____ nada bem! *(tu)*

E. Complete com o pronome na forma correta do complemento indireto.

1. Finalmente, a gente soube onde está o Rui. Ontem mandou-*nos* uma mensagem.

2. Quando estiveste no hospital, o Paulo levou-_____ flores e uma caixa de chocolates. Não te lembras?

3. Peço desculpa, mas ainda não _____ posso devolver o dinheiro que me emprestaram no mês passado.

4. Vi o Paulo ontem na rua, mas não _____ falei.

5. Já trabalho aqui há dois meses, mas ainda não _____ pagaram nada. Isto não pode continuar assim.

6. Podes dizer-_____ que preciso de falar com ela imediatamente?

F. Complete com as formas dos verbos *vestir* e *despir* no Presente do Indicativo e no P.P.S.

	vestir		despir	
eu		vesti		
tu			despes	
ele	veste			
nós				
eles				despiram

G. Olhe para para as fotografias e complete as frases.

O homem está vestido com _____

_____

_____

A mulher está vestida com _____

_____

_____

H. Sublinhe a palavra em que não há o som [k].

quente   calças   lugar   parque

DÓI-ME A CABEÇA

COMUNICAÇÃO	VOCABULÁRIO	PRONÚNCIA	GRAMÁTICA
perguntar e informar sobre o estado de saúde, dar conselhos a um doente	partes do corpo, problemas de saúde, alimentação saudável	letra **ô**, som [ẽ], formas verbais	**doer**, P.P.S. de **dizer**, **vir**, **pôr**, **trazer** e **querer**, **há quanto tempo** e **desde quando**

A. Escreva as letras que faltam nas partes do corpo.

1. ___ P E R N A
2. ___ C A _ _ _ A
3. ___ B A _ _ I _ A
4. ___ N _ R I _
5. ___ P E _ _ O _ O
6. ___ O R _ _ _ A
7. ___ B R _ _ O
8. ___ P E _ _ O
9. ___ P _
10. ___ M _ _
11. ___ _ _ B _ O
12. ___ _ _ _ Ô M A _ O
13. ___ G _ R _ A _ T A

B. Escreva o artigo definido atrás das palavras do exercício A.

C. Complete as frases com *doer*, na forma correta do Presente do Indicativo ou do P.P.S., e com o respetivo pronome.

1. Hoje, *dói-me* a garganta. *(eu)*
2. Ontem, _____ a cabeça. *(eu)*
3. O que é que _____ agora? A barriga? *(o senhor)*
4. Não _____ os dentes quando comes gelado? *(tu)*
5. Ontem, _____ as costas? *(você)*

D. Complete os diálogos com as palavras que faltam.

1.
A: Não me sinto[1] muito bem hoje.

B: Porquê? O que é que se _____[2]?

A: Acho que _____[3] constipado.

B: _____[4]-te alguma coisa?

A: Sim. A cabeça. Acho que _____[5] com febre.

B: _____[6] uma aspirina. Deve ajudar.

2.
A: Tenho de _____[7] uma consulta médica.

B: Porquê? _____[8] doente?

A: Tenho umas _____[9] muito fortes nas costas. Não consigo andar.

B: _____[10] quanto tempo tens isso?

A: Começou ontem à tarde.

E. Faça frases com as palavras dadas.

1. João / quando / o / conheces / desde
   Desde quando conheces o João?
2. lhe / é / o / que / aconteceu / que
   _____?
3. tempo / essas / há / dores / quanto / tens
   _____?
4. um / a / carro / Ana / acidente / teve / de
   _____.
5. que / ir / médico / achas / deves / não / ao
   _____?

F. Responda às perguntas.

1. Há quanto tempo estuda português?

_____

2. Desde quando é que conhece a sua/o seu melhor amiga/o?

_____

3. Desde quando é que usa este livro?

_____

4. Desde quando é que mora nesta cidade?

_____

G. Complete os conselhos médicos com os verbos da caixa no Presente do Indicativo ou no Imperativo formal singular.

| evitar exagerar engordar |
| começar fazer emagrecer |

1. Evite comer molhos e queijos gordos!

2. Não _____ no café!

3. Vinho tinto _____ bem ao coração.

4. O açúcar _____ .

5. _____ o dia com um pequeno-almoço bem forte!

6. Quem come muitos doces, não _____ .

H. Escreva as formas verbais na coluna da direita no P.P.S.

1. (nós) dizemos   dissemos

2. (eles) trazem   _____

3. (ele) põe   _____

4. (você) vem   _____

5. (nós) queremos   _____

6. (eles) vêm   _____

7. (nós) pomos   _____

8. (eles) dizem

I. Complete os diálogos com o verbo sublinhado no P.P.S.

1.
A: Hoje, não como nada ao jantar.

B: E ontem, comeste alguma coisa?

A: Sim. Comi uma sandes.

2.
A: Hoje, já não vou pôr açúcar no café.

B: E, ontem, ainda _____?

A: Sim. Ontem, foi a última vez que _____.

3.
A: Amanhã, venho para a universidade de carro.

B: E, hoje, _____ como?

A: Hoje, _____ de elétrico.

4.
A: Hoje, já não vou dizer "bom dia" à vizinha da frente.

B: E, ontem, _____?

A: Sim, ontem _____ e ela não respondeu.

5.
A: Não quero encontrar-me com o Jorge hoje.

B: Não estiveste com ele ontem?

A: Não, não estive. _____ encontrar-me com ele, mas ele não teve tempo para mim.

6.
A: Esqueces-te sempre de trazer leite do supermercado!

B: Sempre? Ontem, não _____?

A: Ontem, _____ . Mas foi a única vez.

J. Sublinhe a palavra em que as letras destacadas são pronunciadas de forma diferente das outras.

| disseste   puseste   trouxeste   passaste |

UNIDADE 35 — SOMOS FELIZES JUNTOS

COMUNICAÇÃO
contar uma história, falar sobre relacionamentos, ler avisos públicos

VOCABULÁRIO
relacionamentos, sentimentos, avisos públicos

PRONÚNCIA
pronome **o/a/os/as**, dígrafo **ou**, som **[o]**

GRAMÁTICA
pronome **o/a/os/as**, frases interrogativas

A. Complete as respostas com o pronome que substitui a palavra sublinhada na pergunta e junte o verbo.

1. A: Já comeste <u>as bananas</u>?
   B: Sim, já *as comi* todas.

2. A: Achas que o Jorge ama <u>a Rita</u>?
   B: Não. Acho que ele não _____.

3. A: Viste <u>a Teresa</u> ontem?
   B: Sim, _____ de manhã.

4. A: Já encontraste <u>a carteira</u>?
   B: Sim, já _____.

5. A: Porque é que não convidas <u>a Paula</u> para a festa?
   B: Não _____ porque não gosto dela.

6. A: Onde deixaste <u>as chaves</u>?
   B: _____ em cima da tua secretária.

7. A: Já leste <u>o livro</u> que te dei?
   B: Sim, já _____.

8. A: Ainda tens <u>a fotografia</u> de nós os dois juntos na praia?
   B: Sim, _____ na minha carteira.

9. A: O senhor não assinou <u>o impresso</u>.
   B: Não _____? Peço desculpa!

10. A: Não te esqueças de tomar <u>a aspirina</u>.
    B: Já _____.

11. A: Tens de ajudar <u>a mãe</u>.
    B: Eu _____ sempre. Mas tu não.

12. A: Ouves <u>esta música</u>?
    B: Sim, _____ muito bem.

13. A: Podes pagar <u>a conta</u>?
    B: E porque é que não _____ tu?

B. Complemento direto ou indireto? Complete as frases com *lhe*, *o* ou *a*.

1. O Bruno tem um carro novo. Comprou-*o* no mês passado.

2. A Joana gosta de receber presentes. Compro-____ flores frequentemente.

3. O pai já cá está. Agora conta-____ o que fizeste!

4. Vais falar com o chefe? Podes perguntar-____ quando vai voltar do almoço?

5. Já escrevi a carta mas ainda não ____ enviei.

6. Onde está o meu dicionário? Emprestaste-____ a alguém?

C. Complete as frases com os verbos da caixa na forma correta do P.P.S.

apaixonar-se	apresentar	~~deixar~~
contar	decidir	descobrir	morrer

1. A Rita *deixou* o Miguel há dois meses.

2. O Pedro _____ não casar com a Joana.

3. A Rita _____ pelo irmão da sua melhor amiga.

4. A Mafalda _____ ao Pedro o que a namorada dele fez quando ele esteve no estrangeiro.

5. O André _____ aos pais a nova namorada dele.

6. Cristóvão Colombo _____ a América.

7. Os pais do Jorge _____ num acidente de carro há 10 anos.

D. Ordene as frases da história de 1 a 6.

☐ A Júlia apaixona-se logo por ele.

☐ Acaba com o Jorge de imediato.

☐ Um amigo dela apresenta-lhe um rapaz que se chama Jorge.

☐ Um dia, a Júlia vai a uma festa.

☐ Algum tempo depois, a Júlia descobre que o Jorge já é casado.

☐ Começa a pensar em casar com ele.

E. Faça perguntas colocando a palavra interrogativa no fim.

1. te / porquê / divorciar / queres

   Queres divorciar-te porquê?

2. é / café / quem / para / este

   _____?

3. a / quê / o / fazer / estás

   _____?

4. viver / vão / agora / onde / vocês

   _____?

5. chama / você / como / se

   _____?

6. o / falaste / Paulo / quando / com

   _____?

7. casa / como / voltas / para

   _____?

8. quando / nesta / eles / vivem / casa / desde

   _____?

9. teu / o / onde / trabalha / irmão

   _____?

10. cinema / quem / ao / vais / com

   _____?

F. Faça a correspondência entre as colunas.

1.	Reservado	a.	fumar
2.	Estamos	b.	emergência
3.	Cuidado	c.	interdito
4.	Acesso	d.	aos residentes
5.	Proibido	e.	serviço
6.	Saída de	f.	em obras
7.	Atenção! Piso	g.	molhado
8.	Pedimos desculpa	h.	pelo incómodo
9.	Fora de	i.	com o cão

G. Sublinhe a palavra em que as letras destacadas são pronunciadas de forma diferente das outras.

p**ou**co   p**ô**s   pr**ó**ximo   fal**ou**

UNIDADE 36

VOU FICAR NESTE HOTEL

COMUNICAÇÃO
descrever hotéis
e serviços hoteleiros,
escrever um *e-mail*
formal

VOCABULÁRIO
hotéis,
viagens

PRONÚNCIA
sons [o] e [ɔ]

GRAMÁTICA
P.P.S. de **saber**,
poder e **haver**,
pronomes pessoais
complemento direto,
ser + adjetivo +
infinitivo

A. Complete as frases com as palavras da caixa.

| biblioteca floresta piscina |
| passeio guia estadia hóspede |

1. Ontem, fizemos um bonito passeio pela cidade.

2. Há muitas árvores na _____ .

3. Na nossa viagem à China, vamos ter um _____ que fala português.

4. O hotel não tem _____, mas, felizmente, a praia fica apenas a 500 m.

5. Boa _____ em Portugal!

6. Quem trabalha numa _____ tem de gostar de livros.

7. Este hotel é muito pequeno. Acho que sou o único _____ aqui.

B. Complete com as formas de *saber* e *poder* no P.P.S.

	saber	poder
eu		
tu	soubeste	
ele		
nós		
eles		puderam

C. Reformule as frases usando a estrutura *ser* + adjetivo.

1. Preferimos passar as férias longe da cidade. (*melhor*)
É melhor passar as férias longe da cidade.

2. Pode pagar mais tarde. (*possível*)
_____

3. Não pode parar aqui. (*proibido*)
_____

4. Vai ter problemas em encontrar lugar para o carro. (*difícil*)
_____

5. Temos de sair de casa muito cedo. (*preciso*)
_____

6. Gosto de tomar o pequeno-almoço na cama. (*bom*)
_____

7. Não vais ter problemas em alugar esta casa. (*fácil*)
_____

8. Não gosto de trabalhar ao domingo. (*mau*)
_____

9. Detesto passar as férias em casa. (*horrível*)
_____

D. Faça a correspondência entre o hotel e os hóspedes aos quais recomenda o hotel.

1. Uma família francesa que viaja por Portugal de carro com dois filhos de 11 e 13 anos e um cão.

2. Um homem que vem a Lisboa para um encontro de negócios e fica apenas uma noite. O avião dele parte de Lisboa às cinco da manhã.

3. Um casal de estudantes alemães que gosta de sair à noite e conhecer pessoas.

HOTEL LISBOM ☐

Um pequeno hotel que fica no centro de Lisboa, numa rua cheia de bares e restaurantes. Não tem garagem nem lugar para estacionar o carro.

Quarto duplo: **30 euros por noite.**

HOTEL ALUX ☐

Este hotel é muito moderno e fica perto da autoestrada A1, a 15 km do centro de Lisboa e apenas a 2 km do aeroporto. Tem estacionamento e salas de conferência.

Quarto duplo: **80 euros por noite.**

HOTEL CAMPAL ☐

A 50 km de Lisboa, este hotel fica longe do barulho da cidade. Tem piscina com zonas para adultos e para crianças. Os animais são bem-vindos!

Quarto duplo: **60 euros por noite.**

E. Complete as frases usando o verbo sublinhado com o pronome correto.

1. A: Ainda não me <u>devolveste</u> o dinheiro!

   B: O quê? Devolvi-te todo o dinheiro na semana passada!

2. A: Não nos <u>viste</u> ontem na praia, pois não?

   B: Não, não _____.

3. A: <u>Faço</u>-te um café?

   B: Um café? Não, _____ um chá, faz favor.

4. A: Quando é que nos vais <u>visitar</u>?

   B: Vou _____ no mês que vem.

5. A: Porque é que já não me <u>amas</u>?

   B: Não _____ porque estou apaixonado por outra pessoa.

6. A: <u>Levas</u>-nos ao aeroporto amanhã?

   B: Não _____ porque estou a trabalhar.

7. A: <u>Emprestas</u>-me o carro amanhã?

   B: Não. _____ o carro uma vez e apanhaste uma multa que eu tive de pagar.

8. A: Podes <u>dar</u>-me 30 euros?

   B: Outra vez? _____ dinheiro ontem. Já gastaste tudo?

9. A: Adoro este casaco. <u>Compro</u>-o ou não?

   B: Não _____. É muito caro.

10. A: Quando me <u>mandas</u> o e-mail?

    B: Já _____ esse e-mail duas vezes! Não recebeste nada?

11. A: O que é que te <u>aconteceu</u>?
    B: Não _____ nada. Estou bem.

F. Sublinhe a palavra em que a letra destacada é pronunciada de forma diferente das outras.

---

hora   fam**o**so   ag**o**ra   **h**omem

NA FARMÁCIA

A. Complete as letras que faltam.

1. A S P I R I N A
2. _ _ R _ P E
3. C _ M P R _ _ _ D O
4. R _ _ E I _ A
5. M E D _ _ _ _ _ _ T O
6. _ M B A _ _ _ E M
7. G R _ P _
8. T _ _ _ E

B. Complete as frases nas colunas com as palavras do exercício A.

1. Tenho febre. Devo estar com *gripe*.
2. Queria uma _____ de Sedoxil.
3. Queria algo para a _____ seca.
4. Como é que devo tomar este _____?

a. Tome um _____ de 6 em 6 horas.

b. Tome uma _____.

c. Tome uma colher deste _____.

d. Peço desculpa, mas só posso vender com _____ médica.

C. Faça a correspondência entre as frases nas colunas do exercício B.

VOCABULÁRIO QUE DEVE SABER USAR:

UNIDADE 33

apetecer
calçar
descalçar
despir
despir-se
estar vestido
importar-se
parecer
vestir
vestir-se

a aspirina
o caderno
a farmácia
a livraria
a máquina fotográfica
a padaria
a papelaria
a pilha
o quiosque
os saldos
a sapataria
o talho

a blusa
as botas
o calçado
os calções
a camisa
a camisola
o casaco
os chinelos
o fato
o fato de banho
a gravata
a saia
os ténis
a *t-shirt*
o vestido

ambos

Sei lá!

UNIDADE 34

acontecer
doer
emagrecer
engordar
evitar
exagerar
marcar

a barriga
a boca
o braço
a cabeça
a cara
o coração
o corpo
as costas
o dedo
o dente
o estômago
a garganta
a mão
o nariz
o ombro
a orelha
o ouvido
o pé
o peito
o pescoço

o acidente
a ambulância
a bebida
o conselho
a consulta
a dor
a febre
a gripe
o sal
a tosse

constipado
grave
horrível
pesado

Coitado!
As melhoras!
Que horror!

UNIDADE 35

apaixonar-se
apresentar
contar
decidir
encontrar
morrer

o autor
a morte
a página
o título

completamente
por acaso

UNIDADE 36

alterar
cancelar
fugir
gritar
mergulhar
responder
ter medo

o ar
a biblioteca
o cozinheiro
a floresta
o/a guia
o/a hóspede
o passeio
a piscina

ativo
mesmo
possível
proibido
no meio de
pelo menos

Cuidado!
Cumprimentos,
Exmos. Senhores,

PORTUGUÊS EM AÇÃO 9

o comprimido
a embalagem
o medicamento
a receita (médica)
o xarope

UNIDADE 37 — TUDO MUDA

COMUNICAÇÃO	VOCABULÁRIO	PRONÚNCIA	GRAMÁTICA
descrever estados e ações durativas ou habituais do passado	a vida no campo	acento, ditongos [oj] e [ɔj]	Pretérito Imperfeito do Indicativo

A. Escreva as letras que faltam nas formas verbais do Imperfeito.

1. Antigamente, a Ana fal*ava* mais connosco.

2. O que é que vocês faz_____ lá?

3. Naquela altura, ajud_____ muito os nossos pais. *(nós)*

4. Onde é que tu trabalh_____ antes?

5. Naquela altura, o João ainda namor_____ com a Inês.

6. Naquela altura, ainda não nos conhec_____. *(nós)*

7. Onde é que est_____ quando entrei em casa? Não te vi!

8. Antigamente, pod_____ gastar mais dinheiro nos restaurantes. *(nós)*

9. Antes, dorm_____ muito mais do que agora. *(eu)*

B. Complete com as formas dos verbos no Imperfeito.

Presente	Imperfeito	Presente	Imperfeito
1. sou	*era*	11. pomos	*púnhamos*
2. vem		12. têm	
3. tens		13. vimos	
4. põe		14. pões	
5. vens		15. somos	
6. põem		16. tenho	
7. são		17. ponho	
8. vêm		18. tem	
9. temos		19. é	
10. és		20. venho	

C. Escreva as frases no Imperfeito como no exemplo.

1. Agora, as pessoas andam muito de carro. *(a pé)*
   Antigamente, andavam a pé.

2. Hoje em dia, as pessoas são muito impacientes e irritam-se muito. *(mais calmas)*
   Antigamente, _____.

3. Hoje, as pessoas comem muita carne. *(mais legumes)*
   No passado, _____.

4. Agora, as pessoas viajam muito de avião. *(de comboio)*
   Antes, _____.

5. Hoje em dia, as pessoas em Portugal bebem muita cerveja. *(vinho)*
   Antigamente, _____.

6. Hoje em dia, as pessoas vivem sobretudo nas cidades. *(campo)*
   No passado, muitas pessoas _____.

7. Agora, as pessoas escrevem *e-mails* e mensagens no telefone. *(cartas)*
   Antigamente, _____.

8. Hoje em dia, muitas pessoas fazem compras com cartão de crédito ou multibanco. *(dinheiro)*
   Antigamente, todos _____.

9. Hoje em dia, muitas pessoas morrem com 70 ou 80 anos. *(mais cedo)*
   No passado, _____.

10. Hoje em dia, muitos homens ajudam nas tarefas domésticas. *(nada)*
    Antigamente, não _____.

D. Como era a sua cidade há 10 ou mais anos? Mudou muito? Havia muitas coisas diferentes? Escreva.

_____
_____
_____
_____
_____
_____
_____
_____
_____
_____
_____

E. Escreva...

CO junto às palavras relacionadas com **comércio**,

TR junto às palavras relacionadas com **transporte**,

TU junto às palavras relacionadas com **turismo**,

SA junto às palavras relacionadas com **saúde**,

CL junto às palavras relacionadas com **clima**.

1. tosse	SA	11. compras	____
2. chuva	____	12. neve	____
3. hospital	____	13. elétrico	____
4. estacionamento	____	14. estrada	____
5. hotel	____	15. vento	____
6. mercearia	____	16. trânsito	____
7. museu	____	17. dor	____
8. febre	____	18. nevoeiro	____
9. saldos	____	19. guia	
10. férias	____	20. troco	____

F. Complete as frases com as palavras da caixa.

poluição dúzia campo
paisagem ~~aldeia~~ maneira

1. A minha avó vivia numa pequena aldeia.

2. A Mafalda veste-se de _____ diferente da irmã dela.

3. A vida no _____ é mais calma do que na cidade.

4. A _____ do ar nas cidades é um grande problema.

5. A _____ na ilha da Madeira é muito bonita.

6. Ana, podes ir comprar uma _____ de ovos?

G. Compare a vida na cidade com a vida no campo. O que é que há de bom e de mau em cada uma delas? Qual é que prefere? Escreva.

_____
_____
_____
_____
_____
_____
_____
_____
_____
_____
_____
_____

H. Sublinhe a palavra em que as letras destacadas são pronunciadas de forma diferente das outras.

p**oi**s   f**oi**   d**ói**   **oi**to

TUDO ESTÁ BEM QUANDO ACABA BEM

COMUNICAÇÃO
descrever estados
emocionais,
relatar ações
do passado

VOCABULÁRIO
estados emocionais

PRONÚNCIA
sons [r] e [ʀ],
sons [ʃ] e [ʒ]

GRAMÁTICA
rir e **sorrir**,
Pretérito Imperfeito
vs. P.P.S.

A. Leia as frases e escolha a palavra correta.

1. No próximo ano, o Luís vai ganhar mais
   e trabalhar uma hora a menos. O Luís está...

   a) triste   (b) satisfeito   c) furioso

2. São 10 da manhã. O filho da Cristina saiu
   à noite e ainda não voltou para casa.
   Não atende as chamadas. A Cristina está...

   a) triste   b) satisfeita   c) preocupada

3. O Rui faz anos hoje. Está a fazer uma festa
   em casa. Está a dançar e a beber vinho.
   O Rui está ...

   a) zangado   b) alegre   c) triste

4. A Rita vai a uma reunião muito importante,
   mas o trânsito está muito lento e a Rita já sabe
   que vai chegar atrasada. A Rita está ...

   a) furiosa   b) em baixo   c) feliz

5. O Jorge perdeu o trabalho. Não tem dinheiro
   para pagar as contas e a casa. A mulher
   deixou-o e o cão fugiu. O Jorge está ...

   a) zangado   b) em baixo   c) satisfeito

6. O gato da Joana está muito doente. A Joana
   está ...

   a) furiosa   b) triste   c) zangada

7. O Hugo discutiu com a mulher dele. Ela diz que
   ele não faz nada em casa. O Hugo acha que isto
   não é verdade. O Hugo está ...

   a) zangado   b) preocupado   c) feliz

B. Complete com as formas do verbo *rir* no
Presente, no P.P.S. e no Imperfeito.

	Presente	P.P.S.	Imperfeito
eu			
tu		riste	
ele	ri		ria
nós			
eles			

C. Complete as frases com os verbos da caixa
na forma correta do P.P.S.

aparecer   tentar   correr
pegar   bater   sorrir   ~~apetecer~~

1. Ontem não me *apeteceu* sair de casa. Vi televisão
   todo o dia.

2. A Joana _____ na mala e saiu do quarto.

3. _____ falar com a Joana muitas vezes, mas
   nunca consegui.

4. O Jorge _____ para apanhar o último comboio.

5. Jorge, quando estava na casa de banho, alguém
   _____ à porta, não foi?

6. Esperei na sala de aula meia hora, mas os alunos
   não _____.

7. Quando olhei para a rapariga da mesa ao lado,
   ela _____ para mim.

D. Faça a correspondência entre as colunas.

1. colocar	a. no dinheiro
2. chamar	b. pelas escadas
3. desligar	c. sem bateria
4. correr	d. o despertador
5. pegar	e. uma ambulância
6. ficar	f. um anúncio

E. Sublinhe a forma correta do verbo.

1. Quando **fui/era** pequeno, **vivi/vivia** com a minha avó.

2. Ontem, a Paula **deitou-se/deitava-se** mais cedo porque **esteve/estava** com muito sono.

3. Quando a Fátima **chegou/chegava** a casa ontem **esteve/estava** muito cansada.

4. Quando **olhei/olhava** para o relógio **foram/eram** sete e um quarto.

5. **Estivemos/Estávamos** no jardim quando **começou/começava** a chover.

6. Os meus pais **divorciaram-se/divorciavam-se** quando eu **teve/tinha** 8 anos.

7. Hoje de manhã **vesti/vestia** o casaco porque **estive/estava** com muito frio.

8. **Acendi/Acendia** as luzes porque o quarto **esteve/estava** muito escuro.

9. **Foram/Eram** cinco e meia quando **saí/saía** do trabalho.

10. Quando ela me **viu/via** ontem na rua, **começou/começava** a correr.

11. Quando **trabalhei/trabalhava** nesta rua, **almocei/almoçava** sempre no restaurante da esquina.

F. Complete com o nome correspondente.

1. viver   *vida*
2. viajar   _____
3. partir   _____
4. atrasar-se   _____
5. divorciar-se   _____

G. Complete as frases com a palavra que falta.

1. A Ana passa sempre as férias sozinha. Diz que não precisa da *companhia* de ninguém.

2. _____ repente, começou a chover.

3. A Susana sorriu _____ nós.

4. Quando cheguei ao aeroporto, faltava uma hora para a _____ do meu avião.

5. Pus a carteira no _____ das calças, mas agora não está lá!

6. Ontem, acordei tarde porque o despertador não _____.

7. Alguém está a bater _____ porta! Podes abrir?

8. _____ acaso esta caneta não é tua?

9. O Jorge quer vender a casa dele, por isso, pôs um _____ num jornal.

10. Parece que estás _____ baixo hoje! Aconteceu alguma coisa?

11. Não é fácil encontrar a _____ para este problema.

H. Sublinhe a palavra em que a letra destacada é pronunciada de forma diferente das outras.

1. ca**i**xa	pa**i**sagem	ex**i**sto	dúz**i**a
2. **x**arope	oe**s**te	pai**s**agem	**ch**orou

UNIDADE 39

SILÊNCIO QUE SE VAI CANTAR O FADO

COMUNICAÇÃO
ler uma biografia, falar sobre gostos e preferências musicais

VOCABULÁRIO
dados biográficos, música

PRONÚNCIA
pronomes, conjunto **sc**, sons [ʃ] e [s]

GRAMÁTICA
partícula **se**, formas **-no/-na/-nos/-nas** do pronome **-o/-a/-os/-as**

A. Faça as palavras cruzadas.

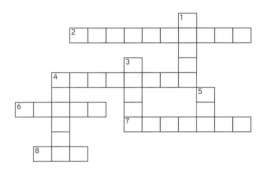

Horizontal:

2. Chopin, Mozart ou Beethoven.
4. Já alguma vez foste a um ..... dos U2?
6. Os U2 ou os Rolling Stones.
7. Cantor ou pintor.
8. Amália Rodrigues tinha uma grande .....

Vertical:

1. Um conjunto de canções de um artista que podemos comprar numa loja.
3. Uma canção = música + ...
4. Qual é a sua ..... preferida dos Beatles?
5. As pessoas que gostam muito de um artista ou de um clube de futebol.

B. Complete com os verbos da caixa no P.P.S.

morrer	vender	dar	nascer	gravar

1. Amy Winehouse _____ em 1983 e _____ em 2011.
2. O disco que os U2 gravaram em Berlim _____ muito bem.
3. Elis Regina _____ muitos discos.
4. Amália Rodrigues _____ concertos em muitos países.

C. Leia a nota biográfica sobre Dulce Pontes e complete o texto.

Nome: Dulce Pontes
Data de nascimento: 8 de abril de 1969
Local de nascimento: Montijo, Portugal
Formação: Conservatório de Lisboa
Profissão: Cantora, compositora e atriz
Primeiro emprego: Teatro Maria Matos, Lisboa, 1988
Primeiro disco: *Lusitana*, 1992
Discos: 9
Concertos: Londres, Nova Iorque, Paris, Istambul, entre outras cidades
Filhos: 2
Estado civil: Casada
Instrumentos: Voz, piano

Dulce Pontes é uma _____[1] portuguesa. _____[2] em 1969 no _____[3]. Aprendeu a _____[4] piano quando _____[5] criança. Estudou no _____[6] de Lisboa. _____[7] 19 anos começou a _____[8] no _____[9] Maria Matos. _____[10] 23 anos _____[11] o _____[12] disco. Até agora, gravou 9 _____[13]. Deu _____[14] em cidades como Paris e Nova Iorque. É _____[15] e tem 2 _____[16].

D. Use as palavras dadas para fazer frases. Acrescente a partícula *se*, os artigos e as preposições (se necessário) e faça todas as alterações necessárias. Não mude a ordem das palavras.

1. aqui / falar / português

   Aqui fala-se português.

2. em / este / edifício / alugar / salas

   _____.

3. em / esta / casa / não / falar / política

   _____.

4. em / Portugal / comer / muito / azeitonas

   _____.

5. antes / Natal / gastar / muito / dinheiro

   _____.

6. em / Portugal / não / tirar / sapatos / casa

   _____.

7. em / Natal / oferecer / prendas

   _____.

8. fim de semana / não / ver / muito / pessoas / / rua

   _____.

E. Transforme as frases como no exemplo.

1. Antigamente, as pessoas passavam mais tempo fora de casa.

   Antigamente, passava-se mais tempo fora de casa.

2. Fazíamos muitas festas naquela altura.

   _____.

3. Antes, as pessoas vendiam fruta e legumes nesta praça.

   _____.

4. Antigamente, as pessoas não falavam tanto ao telemóvel.

   _____.

F. Reescreva as frases substituindo as palavras sublinhadas pelo pronome do complemento direto.

1. Bebam o leite!

   Bebam-no!

2. Puseram o livro ali.

   _____.

3. Comeram a sopa.

   _____.

4. Ajudaram a mãe.

   _____.

5. Vocês têm as chaves?

   _____?

6. Façam o exercício agora!

   _____!

7. Eles encontraram aquela rua?

   _____?

8. Viram este filme?

   _____?

9. Convidem a Ana!

   _____!

10. Levaram o João à escola?

    _____?

11. Põe a carteira em cima da mesa!

    _____!

12. Leram aqueles livros?

    _____?

13. Mandem a mensagem!

    _____!

14. Comam o pequeno-almoço já!

    _____!

15. Assinem a carta!

    _____!

UNIDADE 40 — BOA VIAGEM!

COMUNICAÇÃO
interagir num aeroporto
e num avião,
preparar uma viagem

VOCABULÁRIO
transporte aéreo,
aeroportos,
viagens

PRONÚNCIA
pronomes,
terminação -**gem**,
entoação

GRAMÁTICA
formas
-**lo**/-**la**/-**los**/-**las**
do pronome
-**o**/-**a**/-**os**/-**as**,
omissão dos artigos

A. Complete as frases com as palavras da caixa.

> assentos / as zonas / ~~planos~~ / soluções
> informações / os passageiros / os voos

1. Vocês têm planos para amanhã?

2. Às vezes, _____ têm de dormir nos aeroportos.

3. Este exercício não tem _____.

4. Por causa do mau tempo, todos _____ da Air France estão atrasados.

5. _____ desta cidade perto do rio são pouco seguras.

6. Estes _____ são muito confortáveis.

7. Para mais _____, ligue 21 362 66 32.

B. Complete com o verbo ou o nome.

1. nascer — nascimento
2. _____ — regresso
3. voar — _____
4. sentar-se — _____
5. _____ — plano
6. encomendar — _____
7. costumar — _____
8. decorar — _____

C. Complete as frases com a palavra correta.

1. Quando é que partes para Estocolmo?
   a) voas   b) partes   c) andas

2. Põe o _____ de segurança!
   a) sítio   b) assento   c) cinto

3. Quanto é que esta mala _____?
   a) tem   b) pesa   c) guarda

4. O avião da Lufthansa acabou de _____.
   a) levantar   b) voar   c) aterrar

5. O avião está a levantar _____.
   a) voo   b) atraso   c) assento

6. Podes _____ as plantas? Estão todas secas.
   a) pôr   b) fazer   c) regar

7. Ainda tenho de _____ as malas.
   a) pôr   b) fazer   c) embrulhar

8. Esta estante não _____ aqui.
   a) leva   b) cabe   c) guarda

9. Podes _____ conta das crianças um bocado?
   a) levar   b) tomar   c) fazer

10. Preciso de _____ o cartão de embarque.
    a) ler   b) fazer   c) imprimir

11. Podes _____ este livro na tua mala? Já não cabe na minha.
    a) trazer   b) guardar   c) pesar

D. Reescreva as frases substituindo as palavras sublinhadas pelo pronome do complemento direto.

1. Não consigo fechar a mala!

   Não consigo fechá-la!

2. Podes ajudar a mãe?

   _____?

3. É preciso limpar esta casa.

   _____.

4. Quando é que vais fazer o bolo?

   _____?

5. Tens de encontrar as chaves.

   _____.

6. Onde é que vais guardar este casaco?

   _____?

7. Estás a imprimir o cartão de embarque?

   _____?

8. É proibido levar estas coisas.

   _____.

9. Não queres calçar estes sapatos?

   _____?

10. Esqueceste-te de arrumar a bicicleta.

    _____.

11. Não podes perder este cartão.

    _____.

12. Traz aquela cadeira para aqui.

    _____.

13. Deves deixar cozer as batatas mais tempo.

    _____.

14. Já podemos servir a sobremesa.

    _____.

15. Não posso abrir esta porta.

    _____.

E. Complete as frases com artigo definido ou indefinido, se necessário.

1. Há *uma* loja de roupa no primeiro andar.

2. Ele é _____ chinês.

3. Você é _____ enfermeiro ou médico?

4. As minhas irmãs vivem no Algarve. Uma é casada. _____ outra é solteira.

5. _____ médica da tua irmã vive no meu prédio.

6. Ambas _____ sobremesas são muito boas.

7. Já bebeste _____ água toda?

8. Ele tem _____ mulher muito bonita.

9. Não vou comprar _____ carro nenhum.

10. Ofereci _____ perfume à minha mãe.

11. Quero comer _____ mesmo que tu.

12. Já alguma vez viste _____ estrela de cinema na rua?

13. Queria _____ bilhete para o Porto.

14. _____ sopas da D. Alice são muito boas e saborosas.

15. Puseste _____ azeite nesta sopa?

16. Emprestas-me _____ teu lápis?

17. Recebi _____ mensagem, mas não sei de quem é.

18. Ontem, _____ chuva não parou nem um minuto.

19. Tenho _____ dor nas costas. Não sei o que é.

20. Esta sopa está _____ pouco salgada. Porque é que puseste tanto sal?

21. Nunca comi _____ polvo.

NO *CHECK-IN*

A. Faça as palavras cruzadas.

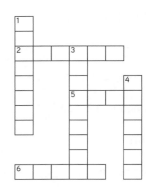

Horizontal:

2. ..... do *check-in*.
5. Uma ..... de bagagem.
6. ..... à janela.

Vertical:

1. Cartão de .....
3. ..... aérea.
4. ..... de mão.

B. Complete o diálogo com as palavras da caixa.

lugar mala corredor porta
viagem bagagem embarque

A: O seu passaporte, faz favor.

B: Aqui está.

A: Tem _____¹?

B: Sim, tenho uma _____².

A: Prefere _____³ à janela ou no _____⁴?

B: À janela, faz favor.

A: O _____⁵ começa às 14h30 na _____⁶ A22. Aqui está o seu cartão de embarque. Boa _____⁷!

B: Obrigada.

VOCABULÁRIO QUE DEVE SABER USAR:

UNIDADE 37	UNIDADE 38	UNIDADE 39	UNIDADE 40
conversar	aparecer	arranjar	aterrar
estar sentado	bater	gravar	caber
existir	estar em baixo	nascer	fazer a mala
	ficar (triste)	regressar	guardar
a aldeia	pedir desculpa		imprimir
o campo	pegar	a banda	levantar voo
o comércio	perguntar	a carreira	pesar
uma dúzia	rir	a cereja	regar
a maneira	sorrir	as centenas	tomar conta
a paisagem	tentar	o compositor	
a poluição		a decoração	o assento
o rádio	o bolso	as dezenas	a balança
a vaca	a companhia	o disco	o cartão de embarque
	o despertador	o/a fã	o deserto
enorme	o divórcio	o/a fadista	a experiência
antigamente	a partida	a fila	o passageiro
obviamente	a solução	a letra (de uma canção)	a planta
principalmente	o/a taxista	os milhares	o utilizador
de facto		o palco	a zona
hoje em dia	alegre	o talento	
naquela altura	furioso	a voz	cancelado
por todo o lado	preocupado		leve
	satisfeito	pessoalmente	maluco
	triste		
	zangado	Que inveja!	
	rapidamente		
	de repente		
	Diga?		

PORTUGUÊS EM AÇÃO 10

a bagagem
o balcão de *check-in*
a chegada
a companhia aérea
o embarque
a peça (de bagagem)

UNIDADE 1

A.
2. e
3. a
4. f
5. b
6. c

B.
2. você/tu/o senhor
3. És/É; vindo
4. Tudo
5. Quem; sei

C.
2. chama-se
3. te chamas
4. é
5. és
6. se chama

D.
1. Obrigada!
2. Até amanhã!
3. Muito gosto!

E.
2. se
3. me
4. te
5. se
6. te
7. se

F.
2. –
3. a
4. o
5. –

G.
2. Não sei quem és.
3. Até à próxima!
4. Ele chama-se Ricardo?

H.
2. sábado
3. terça-feira
4. sexta-feira
5. quinta-feira
6. domingo
7. quarta-feira

I.
2. quinta-feira
3. sábado
4. quarta-feira
5. domingo

J.
7 - sete
12 - doze
20 - vinte
8 - oito
11 - onze
17 - dezassete
4 - quatro
2 - dois
6 - seis

K.

1.	√	√
2.	-	√
3.	-	√
4.	√	√
5.	-	√

L.
chamo; cinco

M.
muito; chamas

N.
amanhã; próxima

UNIDADE 2

A.
1. Suécia
2. Brasil
3. Grécia
4. França
5. Itália
6. Portugal
7. Alemanha
8. Polónia

B.
2. Itália
3. China
4. México
5. Índia
6. Brasil

C.
2. Woody Allen não é de Londres.
   É de Nova Iorque.
3. Penélope Cruz não é do México.
   É de/da Espanha.
4. Dulce Pontes não é de/da Espanha.
   É de Portugal.
5. Madonna não é de/da Itália.
   É dos Estados Unidos.
6. Kate Winslet não é da Alemanha.
   É de/da Inglaterra.

D.
2. Na Alemanha.
3. No Brasil.
4. Em/Na Espanha.
5. Em Angola.

E.
2. Onde é/fica Boston?
4. Berlim é/fica na Alemanha.

F.
2. Onde
3. São
4. do
5. De
6. são

G.
2. vocês
3. os senhores
4. vocês
5. eles
6. elas

H.
2. de
3. no
4. da
5. na
6. nos
7. do
8. dos

I.
2. Paris não é em Itália.
3. De onde é ele?
4. Elas não são de Portugal.
5. Lyon fica em França.
6. O Paulo é de Lisboa.

J.
2. noventa
3. vinte e cinco
4. sessenta e seis
5. oitenta

K.
Brasil; China; França; Marrocos

L.
nós; isto; Moscovo; Espanha

UNIDADE 3

A.
2. Ela é ucraniana.
3. Elas são espanholas.
4. Eles são japoneses.
5. Ela é marroquina.
6. Ele é americano.
7. Eles são alemães.
8. Ela é indiana.

B.
2. É sueco.
3. É francês.
4. É inglês.
5. É alemão.

C.

2. O Maxim fala alemão e russo muito bem e também fala um pouco de inglês.
3. A Carla fala espanhol muito bem e também fala um pouco de português e francês.
4. O Said fala francês e árabe muito bem e português e inglês bem.
5. O Itsuki fala japonês muito bem e também fala um pouco de português e inglês.
6. A Diya fala inglês e hindi muito bem.

D.

2. moramos
3. mora
4. moram
5. moras
6. moram
7. moro
8. mora

E.

2. Falo russo muito bem./Falo muito bem russo.
3. A Joana mora em Lisboa.
4. Onde está o Jorge agora?
5. Ela não é alemã.
6. Que línguas fala a Ana?
7. Eles não moram no Porto.
8. Falamos um pouco de japonês.

F.

(há outras possibilidades)

2. Vocês estão em Lisboa?
3. Falas alemão?
4. Ela é francesa?
5. Como estás?
6. Quem é ela?
7. De onde são vocês?

G.

2. g
3. c
4. h
5. f
6. e
7. a
8. b

H.

2. são
3. Estamos
4. Falo
5. são
6. é
7. estão

I.

(há outras possibilidades)

1. Em Portugal.
2. Falo inglês e espanhol.
3. Não, não sou.
4. Em Lisboa.
5. Estou bem.
6. De Inglaterra.

J.

sou

K.

Japão; brasileiro; chinês; inglesa

UNIDADE 4

A.

1. aquilo
2. isto
3. isso
4. Aquilo

B.

2. vermelho
3. branco
4. amarelo
5. preto
6. cor de laranja
7. verde
8. azul
9. cinzento
10. cor de rosa

C.

2. São secretárias.
3. São quadros de Peter Rubens.
4. As cadeiras são verdes.
5. Os computadores são pretos.
6. São livros de Saramago.
7. As paredes são azuis.
8. Os dicionários são cor de laranja.

D.

2. O jornal espanhol é do Pablo.
3. O que é aquilo?
4. A secretária da Rita é castanha.
5. De que cor é isto?

E.

2. A
3. A
4. uma
5. um
6. um
7. O
8. A

F.

2. Abram
3. O que
4. Não
5. Falem
6. Pode
7. Qual
8. Trabalhem
9. Olhem

G.

(há outras possibilidades)

2. Isto é branco?
3. De que cor é a cadeira da Ana?
4. Isto é uma mesa?

H.

2. O relógio do Alexandre é branco./ /O relógio branco é do Alexandre.
3. A bandeira da Suécia é azul e amarela./A bandeira azul e amarela é da Suécia.
4. Isso não é um jornal.

5. De que cor é o computador do Rui?
6. Como se diz isto em inglês?
7. Isso é um mapa de Portugal.
8. O que é isso?
9. As paredes são cor de laranja.

I.

onde; dezoito; preto; árabe

J.

preto

PORTUGUÊS EM AÇÃO 1

A.

2. chá
3. limão
4. café
5. sumo
6. cerveja
7. água
8. vinho

B.

2. faz
3. Com
4. Sim
5. Mais
6. Não

C.

A: Uma água, faz favor!
B: Aqui está.
A: E também um café.
B: Faz favor.
A: Muito obrigada.

D.

1. Uma água, faz favor!
2. Com gás?
3. Sim. E com limão.
4. Faz favor. Mais alguma coisa?
5. Sim, um café.
6. Faz favor.
7. Obrigada.

UNIDADE 5

A.

2. a; as malas
3. o; os lápis
4. o; os passaportes
5. o; os telemóveis
6. a; as moedas
7. a; as canetas
8. o; os cigarros
9. a; as chaves
10. a; as carteiras

B.

2. tem
3. nós
4. têm
5. tu
6. têm
7. eu
8. tem

C.

3. Temos.
4. Não, não tem.
5. Não, não temos.
6. Não, não tenho.

D.
2. aqui   4. ali
3. aí

E.
2. A minha mala está na tua secretária.
3. A sua carta de condução está aqui.
4. A casa amarela é nossa.

F.
2. no   4. no
3. em   5. na

G.
2. O carro dela...
3. A nossa casa...
4. O seu passaporte...
5. A tua mala...
6. O meu telemóvel...
7. O teu lápis...
8. O seu relógio...
9. O vosso dicionário...
10. O computador delas...
11. A sua carteira...
12. O livro dele...
13. A nossa mesa...
14. O jornal deles...
15. O seu telemóvel...

H.
3. ... dela.   6. É deles.
4. É nossa.   7. É tua.
5. É seu.   8. É seu.

I.
2. Onde é que estão as chaves?
3. Que línguas é que fala?
4. Como é que se chama?
5. O que é que está aí?
6. O que é que tem na mala?

J.
1. Roma
2. euro
3. país

UNIDADE 6

A.
2. enfermeiro   9. atriz
3. professor   10. dona de casa
4. estudante   11. empregado de mesa
5. advogado   12. médico
6. secretário   13. aluno
7. engenheiro   14. cantor
8. informático

B.
2. o; os nomes
3. a; as idades
4. a; as atrizes
5. o; os andares
6. a; as profissões
7. o; os prédios
8. o; os apartamentos
9. o; os apelidos
10. a; as nacionalidades

C.
1. e   4. a
2. d   5. e

D.
2. Como se escreve o seu último nome?
3. Qual é a sua morada?
4. Em que andar mora?
5. Qual é o seu número de telemóvel?
6. Que idade tem?
7. Qual é o seu código postal?
8. Qual é a sua profissão?
9. Qual é o seu estado civil?
10. Qual é a sua nacionalidade?

E.
1. primeiro nome
2. último nome
3. idade
4. nacionalidade
5. número de B.I. ou passaporte
6. estado civil
7. profissão
8. morada
9. código postal
10. número de telefone
11. *e-mail*

F.
2. quantos
3. quantas
4. quanto

G.
2. seu   4. sua; minha
3. nossa   5. dela

H.
2. quinto   7. três
3. dez   8. oitavo
4. segundo   9. nove
5. seis   10. sétimo
6. quarto

I.
casado

UNIDADE 7

A.
Horizontal:	Vertical:
4. pequeno	1. pobre
6. simpático	2. mau
8. nova	3. bonito
10. bom	5. rico
11. barato	7. caro
12. velha	9. antiga

B.
3. muito   6. muito
4. bastante   7. muito
5. bastante   8. bastante

C.
2. a; as partes
3. o; os restaurantes
4. o; os hotéis
5. a; as pessoas

D.
2. isso   5. isso
3. daquilo   6. nisto
4. em

E.
2. Como   7. De quem
3. Porque   8. De que
4. Que   9. Quantas
5. Onde   10. Como
6. Quem   11. Quem

F.
2. boa   4. má
3. mau

G.
2. Gosto.   4. Gosto.
3. Gostamos.   5. Gostamos.

H.
2. Estamos longe do centro da cidade.
3. Como são os restaurantes no Porto?
4. Coimbra é uma cidade bastante pequena.
5. Estamos de férias fora do país.
6. A minha casa fica perto da tua.

I.
1. faz
2. segundo

UNIDADE 8

A.
2. hospital
3. professor
4. restaurante
5. arquiteto
6. teatro
7. empregada

B.
2. por
3. no
4. num
5. Às/Muitas; à
6. de
7. com

C.
2. a; as universidades
3. o; os hospitais
4. o; os dias
5. o/a; os/as colegas
6. o; os teatros
7. o; os trabalhos
8. a; as semanas
9. a; as horas
10. a; as empresas

D.
2. muitas
3. muitos
4. muitos
5. muito
6. muita
7. pouca
8. poucos
9. pouco
10. pouco
11. poucas
12. poucas

E.
2. Trabalhamos
3. estuda
4. Viajo
5. usam
6. estudar
7. trabalhas
8. Tens
9. falamos
10. ganhas

F.
1. b
2. c
3. b
4. c

G.
2. f
3. h
4. a
5. e
6. b
7. c
8. d

I.
trabalham; profissão; gostam; alemão

J.
ganho

PORTUGUÊS EM AÇÃO 2

A.
2. motivo
3. Trabalho
4. profissão
5. tempo
6. semana
7. hotel
8. vez
9. estadia

B.
1. em
2. de
3. para

C.
2. Estou.
3. Trabalho.
4. Fico.
5. É.

UNIDADE 9

A.
2. a irmã
3. o filho
4. a rapariga
5. o tio
6. a mulher
7. o namorado
8. a mulher
9. o amigo
10. a avó
11. o neto
12. a prima

B.
2. avó
3. irmão
4. mãe
5. filha
6. neta
7. namorado

C.
2. a; as mães
3. o; os pais
4. o; os irmãos
5. a; as irmãs
6. o; os homens
7. o; os rapazes

D.
2. Estas são as tuas irmãs.
3. Aqueles são os seus livros.
4. Esses são os nossos chefes.
5. Essas são as vossas casas.
6. Aquelas são as tias dele.
7. Estes são os dicionários dela.
8. Esses são os seus pais.
9. Aquelas são as nossas netas.

E.
1. aquela
2. Essa
3. Este
4. Aquela
5. Estes

F.
2. única
3. já
4. ainda
5. divorciada
6. solteira

G.
2. esta
3. está
4. Esta
5. está
6. Estas
7. estás

H.
mulher

UNIDADE 10

A.
2. f
3. d
4. b
5. a
6. e

B.
2. com
3. altura
4. cerca
5. usa
6. olhos
7. cabelo

D.
2. O Jorge está com frio.
3. A Sofia está com sede.
4. O Miguel não é careca.

E.
2. a
3. e
4. b
5. c

F.
2. barba (A)
3. gordo (A)
4. tia (F)
5. marido (F)
6. televisão (G)
7. estudante (E)
8. sogra (F)
9. escritório (T)
10. chefe (T)
11. ganhar (T)
12. filme (G)
13. dicionário (E)
14. dançar (G)
15. dinheiro (T)
16. aula (E)
17. ler (G)
18. aluno (E)
19. loiro (A)
20. careca (A)

G.
2. veem
3. fumam
4. cantamos
5. Cozinhas
6. Dançamos
7. Leio
8. cozinhar

H.
2. estou
3. é
4. é
5. És
6. estou
7. Estás
8. é
9. Estamos
10. está
11. Estás
12. Sou
13. Estamos

I.
2. Quais são as tuas canetas?
3. O que é que gostas de ver na televisão?
4. O Jorge está com calor.
5. O Daniel é de altura média.
6. A Sara tem cabelo curto.
7. A minha irmã é muito baixa.
8. Ela é casada com um brasileiro.

J.
1. próxima
2. rapaz

UNIDADE 11

A.
2. o; os cinemas
3. o; os cães
4. o; os animais
5. o; os filmes
6. o; os clubes
7. o; os bares
8. o; os gatos
9. a; as revistas
10. o; os jogos
11. a; as praias

B.
2. jogos   4. cinema
3. clube

C.
2. jogar   5. gostar
3. ter   6. estudar
4. passar

D.
2. Moras sozinha?
3. Tens cão ou gato?
4. Estudas ou trabalhas?
5. O quê?
6. Também estudas?
7. E gostas do teu trabalho?
8. Gostas de música, Miguel?
9. Quais são as tuas cantoras preferidas?
10. Não gostas de música portuguesa?
11. Onde é que passas férias?
12. Gostas de desporto?

E.
2. A Sofia e a Ana detestam praia.
3. O Raul e a Ana não gostam de natureza.
4. A Tânia gosta de cães e desporto.
5. A Sofia não gosta de discotecas nem de ginásio.
6. A Sofia adora *sushi* e natureza.
7. A Ana adora discotecas e cães.
8. A Tânia não gosta de *sushi* nem de ginásio.

F.
2. vai   6. vão
3. nós   7. vou
4. vão   8. vai
5. tu

G.
2. Eu e o Jorge vamos à praia.
3. Os meus filhos estão na praia agora.
4. O Pedro e o Diogo vão às compras.
5. Eles vão ao cinema à noite.

H.
2. Qual é o teu filme preferido?
3. Porque é que não gostas de comida indiana?
4. Ela não gosta de ténis nem de futebol.
5. A Cristina não gosta de morar sozinha.
6. O irmão da Ana tem uma casa no Algarve.

I.
2. O meu dia da semana preferido...
3. O meu desporto preferido...
4. O meu animal preferido...
5. O meu filme preferido...
6. O meu ator preferido...
7. A minha cidade preferida...
8. O meu livro preferido...
9. A minha cantora preferida...
10. O meu país preferido...
11. O meu clube de futebol preferido...

J.
1. ginásio
2. água

UNIDADE 12

A.
2. apanhar   5. jantar
3. andar   6. estacionar
4. tomar   7. pagar

B.
2. O Jorge passa os sábados em casa.
3. O marido da Helena está fora de Portugal.
4. Porque é que não gostas de apanhar sol?
5. Tenho muito interesse em música brasileira.
6. A Paula procura amigos em Espanha.

C.
2. no   6. até
3. de   7. em/na
4. no   8. de
5. em

D.
1. brasileiro/do Brasil
2. alto
3. magro
4. Medicina
5. português
6. japonês
7. futebol
8. música
9. gatos

E.
1. Cá   3. Lá
2. Lá   4. Cá

G.
2. pois não   6. não fala
3. pois não   7. pois não
4. não gosta   8. não está
5. pois não

H.
(há outras possibilidades)
1. É português, não é?
2. Ficas em casa, não ficas?
3. Não gostas de café, pois não?
4. Têm dois filhos, não têm?
5. Vais às compras, não vais?

I.
1. centro
2. casado

PORTUGUÊS EM AÇÃO 3

A.
2. simples   5. mista
3. meia   6. natural
4. pastel

B.
1. c   4. b
2. e   5. a
3. d

C.
1. A tosta é para levar?
2. E mais?
a. Não faz mal.
b. Só tenho um.
d. Ai, desculpe. Aqui tem.

D.
1. Diga!
2. pastéis
3. Fresca
4. para
5. junta
6. Quanto
7. pequeno; notas

UNIDADE 13

A.
2. meses   5. dias
3. semanas   6. meio
4. quarto

B.
2. de; para   6. para
3. A   7. à; às
4. a   8. em
5. para

C.
2. São dez para as nove.
3. São duas e vinte e cinco.
4. É um quarto para as sete.
5. São vinte para as onze.
6. São nove e meia.
7. É uma e um quarto.
8. São cinco e cinco.

D.
2. Quanto tempo dura a aula?
3. A que horas começa/acaba o filme?
4. Quanto tempo falta para o fim da aula?
5. Em que mês estamos?
6. Que dia é hoje?
7. Quantos são hoje?
8. Quando é que a tua irmã faz anos?
9. Qual é a tua/sua data de nascimento?

E.
2. setembro   8. maio
3. março   9. outubro
4. fevereiro   10. abril
5. novembro   11. janeiro
6. junho   12. julho
7. dezembro

F.
2. faço   6. fazem
3. nós   7. tu
4. fazem   8. faz
5. faz

G.
2. Luís Figo faz anos a 4 de novembro.
3. Johnny Depp faz anos a 9 de junho.
4. Pink faz anos a 8 de setembro.
5. Gerard Piqué faz anos a 2 de fevereiro.

H.
2. O voo de Lisboa para Roma dura cerca de duas horas e meia.
3. A minha data de nascimento é 15 de maio de 1984.
4. O fim de semana é daqui a dois dias.
5. Faltam 20 minutos para o fim do filme.
6. A que horas começa a aula de Português?

I.
1. Parabéns!
2. Ainda bem.
3. Pois é.
4. Que pena!

J.
1. pagar
2. troco

UNIDADE 14

A.
2. c   5. d
3. a   6. f
4. b

B.
2. tomar   6. fazer
3. começar   7. ir
4. levantar-se   8. fazer
5. ir

C.
2. acordar
3. levantar-se
4. levar os filhos à escola
5. almoçar
6. jantar

D.
2. Não me deito antes da meia-noite.
3. Encontro-me com o Jorge num café.
4. Ela não se chama Teresa.
5. Levantas-te muito tarde ao domingo?

E.
2. O Paulo acorda por volta das oito e meia.
3. Normalmente, ao domingo, a Teresa encontra-se com uma amiga num café no centro da cidade.
4. Antes do jantar, a Ana lê um livro ou uma revista.
5. Na hora do almoço, a Rita vai a um restaurante grego.
6. Eu e o Jorge trabalhamos das nove às cinco.

F.
1. V   4. V
2. F   5. F
3. F

G.
2. a   5. a
3. para   6. a
4. para   7. a

H.
2. da   8. na
3. De   9. Durante
4. da   10. No
5. Na; do   11. à
6. à   12. a
7. ao   13. do

I.
1. tarde
2. fora

UNIDADE 15

A.
Horizontal: *Vertical:*
 4. arroz   1. frango
 6. azeite   2. fruta
 9. queijo   3. carne
10. ovos   5. legumes
13. manteiga   7. peixe
14. sopa   8. pão
15. salada   11. vinho
                  12. batata

B.
2. a   4. d
3. c   5. b

D.
2. todo o vinho; algum vinho
3. toda a fruta; alguma fruta
4. todas as semanas; algumas semanas
5. todos os meses; alguns meses

E.
2. O Ivo nunca chega atrasado.
3. O Ivo, às vezes, esquece-se de coisas.
4. O Ivo e a Ana, às vezes, andam com muito stresse.
5. A Ana nunca faz exercício.
6. A Ana dorme sempre mal.
7. A Ana nunca se esquece de coisas.
8. O Ivo está sempre com pressa.
9. A Ana e o Rui estão frequentemente com pressa.
10. O Rui nunca está doente.
11. O Rui quase nunca anda com muito stresse.
12. O Rui e o Ivo raramente dormem mal.

G.
2. ... fala mal alemão.
3. ... é bom.
4. ... estou bem.
5. ... são más.

H.

2. Eles comem quatro refeições por dia.
3. O nosso gato dorme todo o dia.
4. O Jorge lembra-se sempre dos anos da mulher dele.
5. A Sara nunca fala dos problemas dela com os pais.
6. Eles nunca se esquecem da chave.
7. O José tem sempre tempo para tomar o pequeno-almoço.

I.

sei

UNIDADE 16

A.

2. o		7. o	
3. a		8. o	
4. o		9. o	
5. o		10. a	
6. a			

B.

1. b		5. a	
2. f		6. e	
3. d		7. c	

D.

2. dentro do
3. entre
4. em cima da
5. debaixo da
6. atrás da
7. em frente da

E.

	poder	saber
eu	posso	sei
tu	podes	sabes
ele	pode	sabe
nós	podemos	sabemos
eles	podem	sabem

	querer	pôr
eu	quero	ponho
tu	queres	pões
ele	quer	põe
nós	queremos	pomos
eles	querem	põem

F.

2. sento-me		6. sentam-se
3. sentamo-nos		7. tu
4. se senta		8. senta-se
5. senta-se		

G.

2. desligas
3. nos sentamos; sento-me
4. sabem; sabemos
5. ponho
6. queres; Quero; posso
7. te levantas

H.

2. Porque é que este restaurante não tem ar condicionado?
3. Não sabes como ela se chama?
4. Podem sentar-se ao lado da janela.
5. Não posso ir a esse restaurante porque sou vegetariano.

I.

2. cheio		5. aberto
3. fraco		6. vazio
4. livre		7. quente

J.

1. quase
2. irmãos

PORTUGUÊS EM AÇÃO 4

A.

2. pagar
3. são
4. têm
5. trazer
6. está
7. querem

2. c		5. a
3. d		6. g
4. f		7. b

B.

3. Bom dia! Quantas pessoas são?
4. Os senhores têm reserva?
6. O seu café está bom?
7. O que é que os senhores querem para beber?
a. Com certeza. É junta ou separada?
c. Não. Só pode ser com dinheiro.
f. As sardinhas estão muito boas hoje.

C.

1. doce		3. salgado
2. picante		4. amargo

UNIDADE 17

A.

2. chocolate		6. fiambre
3. iogurte		7. torrada
4. feijão		8. sandes
5. salsichas		

C.

2. uns iogurtes
3. uns doces
4. umas doses
5. uns chocolates
6. umas sandes
7. umas baguetes

D.

2. e		4. b
3. d		5. a

E.

1. A Rita come cereais, iogurte e uma torrada com doce. Bebe chá preto.
2. O Manuel come salsichas com ovos e pão. Bebe café.
3. A Lília come tomate e uma sandes de fiambre e queijo. Bebe sumo.

F.

2. Há		6. Não há
3. Não há		7. Há
4. Não há		8. Há
5. Há		

G.

2. A 80 cêntimos o quilo.
3. Levo meio quilo, então.
4. Aqui tem. Mais alguma coisa?
5. Sim, também queria levar tomate.
6. Quanto quer levar?
7. Um quilo. Quanto é tudo?
8. Dois euros e setenta e cinco cêntimos.

H.

2. A como são
3. mais
4. Quanto
5. levo/quero/queria
6. desses/destes

I.

2. há		7. Há
3. Há		8. é
4. É		9. está
5. está		10. é
6. há		

J.

estadia; família; mercearia; Itália

UNIDADE 18

A.

2. barulhento
3. curto
4. estreito
5. desagradável

B.
2. a temperatura
3. a duração
4. A área
5. A viagem
6. O alojamento
7. O voo
8. o preço
9. A agência
10. uma estrela

C.
2. maior – o maior
3. mais rico – o mais rico
4. mais pequeno – o mais pequeno
5. pior – o pior
6. melhor – o melhor

D.
2. Portugal é maior do que a Irlanda.
3. Barcelona fica mais longe de Lisboa do que Casablanca.
4. A viagem de Portugal ao Brasil é mais curta do que à China.
5. O carro do José é pior do que o carro do Pedro.
6. A Inês é mais pobre do que o Jorge.
7. O David viaja menos do que o André.

E.
3. A Inês prefere peixe a carne.
4. O Raul prefere porco a frango.
5. A Inês e o Raul preferem calor a frio.
6. Eu prefiro .....
7. Eu prefiro .....
8. Eu e o Raul preferimos ......
9. Eu e a Inês preferimos ......

F.
2. várias   5. vários
3. várias   6. várias
4. várias

G.
2. Sabes   5. conhecer
3. conhecemos 6. Sabes
4. Sabem   7. conhece

H.
2. lago
3. rio
4. Ilha
5. capital
6. costa; Mar
7. montanha

I.
2. Este lago é o mais bonito de todos.
3. A tua cidade é tão calma como a minha.
4. O João é o mais rico da família.
5. A Ana é a melhor aluna da turma.

UNIDADE 19

A.
2. gastas   5. comprar
3. ganho   6. poupar
4. custa

C.
2. Esta flor precisa de água.
3. Este rapaz precisa de fazer dieta.
4. Este gato precisa de comer.
5. Esta rapariga precisa de dormir.
6. Este aluno precisa de estudar.

D.
1. d   5. c
3. f   6. a
4. b

E.
2. não pode   5. tem de
3. pode   6. não pode
4. pode

F.
2. Tudo   6. todo
3. nada   7. Todos
4. alguém   8. ninguém
5. algo

H.
1. Que bom!
2. Que bonita!
3. Que interessante!

UNIDADE 20

A.
2. tocar   5. ouvir
3. atender   6. atravessar
4. aprender   7. enviar

B.

	partir	ouvir
eu	parto	ouço/oiço
tu	partes	ouves
ele	parte	ouve
nós	partimos	ouvimos
eles	partem	ouvem

	divertir-se
eu	divirto-me
tu	divertes-te
ele	diverte-se
nós	divertimo-nos
eles	divertem-se

C.
2. tão   5. tão
3. tantas   6. tanto
4. tão

D.
2. tanto   6. tanta
3. tantas   7. tanto
4. tantos   8. tantos
5. tantas

E.
2. Estou a olhar
3. estás a ver
4. está a estacionar
5. está a falar
6. estou a ouvir
7. estás a ver
8. está a fumar
9. está a trabalhar

F.
2. Ele está a correr.
3. Ele está a dormir.
4. Ela está a falar ao telemóvel.
5. Eles estão a jogar futebol.
6. Ele está a apanhar sol.
7. Ele está a beber Coca-Cola.

G.
2. Normalmente, bebo vinho tinto, mas agora estou a beber vinho branco.
3. Normalmente, danço salsa, mas esta noite estou a dançar quizomba.
4. Ela toca sempre piano, mas agora está a tocar guitarra.

H.
2. Agora está a chover muito.
3. Estou a escrever uma mensagem.
4. Que música é que vocês estão a ouvir?
5. Neste momento, estou a descansar.

I.
1. costa
2. podem
3. hora

PORTUGUÊS EM AÇÃO 5

A.
1. desligar
2. tocar; atender
3. falar; deixar; ligar

B.
2. É a própria.
3. Aqui fala Graça Ferreira.
4. Volto a ligar mais tarde.
5. Com licença!

C.

1. rede   3. código
2. bateria   4. chamada

UNIDADE 21

A.

2. pelos   4. pelas
3. pela

B.

2. a; para   7. no
3. para   8. a
4. pelo   9. de
5. para a; de   10. ao; a
6. no

D.

2. outro   5. outra
3. outra   6. outro
4. outros   7. outras

E.

2. O Miguel vai partir para Itália na próxima terça-feira.
3. No sábado, o Rui vai visitar os pais.
4. Na próxima semana, a Ana vai falar com o/a chefe.
5. O voo vai durar oito horas.
6. Em Coimbra, a Rita vai ficar num hotel de três estrelas.
7. O Pedro e a Joana vão ficar duas semanas em Madrid.

F.

2. Quando é que o Miguel vai partir para Itália?
3. Quem é que o Rui vai visitar no sábado?
4. Quando é que a Ana vai falar com o/a chefe?
5. Quantas horas é que vai durar o voo?
6. Onde é que a Rita vai ficar em Coimbra?
7. Quanto tempo é que o Pedro e a Joana vão ficar em Madrid?

G.

Horizontal: *Vertical:*
2. vem   1. vêm
4. vê   2. vimos
5. vemos   3. veem
7. venho   5. vejo
      6. vens
      7. vês

H.

2. perco   6. perdem
3. nós   7. tu
4. perdem   8. perde
5. perde

I.

2. paragem
3. estação
4. transporte
5. trânsito
6. bilhete; multa

J.

2. perder   6. mudar
3. apanho   7. chegas
4. sair   8. dura
5. esperar   9. vir

UNIDADE 22

A.

2. uma moradia
3. vista
4. um terraço
5. uma garagem
6. O apartamento

B.

2. o   6. naquela
3. na   7. no
4. deste   8. Esta
5. Este   9. uma

C.

2. nenhuma
3. algumas
4. nenhumas
5. nenhumas
6. Alguns
7. nenhum

D.

2. g   5. c
3. a   6. b
4. f   7. e

E.

2. no quarto.
3. na sala de estar.
4. na casa de banho.
5. na garagem.
6. no escritório.

F.

sala de estar	cozinha	casa de banho
candeeiro	forno	espelho
tapete	fogão	banheira
sofá	frigorífico	chuveiro

G.

2. alugar   5. mudar
3. vender   6. sair
4. entrar

H.

2. sobem   6. sobem
3. nós   7. sobe
4. sobes   8. sobe
5. eu

I.

2. caem   6. caem
3. caímos   7. cai
4. tu   8. cai
5. eu

J.

2. diz   4. dizemos
3. dizes   5. Digo

K.

2. está; está   7. está
3. é   8. Estamos
4. são   9. é
5. são   10. está
6. está

L.

mal

UNIDADE 23

A.

2. percebo   6. se preocupa
3. ajudar   7. escolher
4. avisar   8. estraga
5. preparas   9. discutem

B.

2. passeiam   6. passeiam
3. tu   7. passeia
4. passeio   8. passeia
5. nós

C.

2. simples
3. bem-educado
4. chato
5. divertido

D.

2. e   4. a
3. d   5. b

E.

2. chávena
3. copo
4. prato
5. garfo; faca

F.

2. Compra.	Não compres.
3. Aluga.	Não alugues.
4. Espera.	Não esperes.
5. Atende.	Não atendas.
6. Fica.	Não fiques.
7. Casa.	Não cases.
8. Paga.	Não pagues.
10. Bebam.	Não bebam.
11. Tomem.	Não tomem.
12. Desliguem.	Não desliguem.
13. Enviem.	Não enviem.
14. Vendam.	Não vendam.
15. Joguem.	Não joguem.
16. Entrem.	Não entrem.

G.

2.
Falo com a Rute quase todos os dias.
Estou a falar com a Rute agora.
Vou falar com a Rute no próximo sábado.
Fala com a Rute!
Não fales com a Rute!

3.
Limpo a casa à terça e à quarta.
Neste momento, estou a limpar a casa.
Na próxima terça, vou limpar a casa.
Limpa a casa!
Não limpes a casa!

4.
Ando de bicicleta todos os dias.
Agora, estou a andar de bicicleta.
Amanhã, vou andar de bicicleta.
Anda de bicicleta!
Não andes de bicicleta!

5.
Ajudo sempre a mãe.
Agora, estou a ajudar a mãe.
Amanhã, vou ajudar a mãe.
Ajuda a mãe!
Não ajudes a mãe!

H.
faço

UNIDADE 24

A.

Horizontal:	Vertical:
2. avenida	1. palácio
3. estádio	4. mesquita
5. torre	6. castelo
7. museu	8. miradouros
9. igrejas	10. parque
10. praça	
11. colinas	
12. ponte	

B.

1. V		4. V	
2. F		5. F	
3. F		6. V	

C.

2. trazer	5. levar
3. levar	6. leva
4. trazer	7. trazer

E.

2. O Tiago precisa de falar consigo
sobre o nosso trabalho.
3. O pai espera por ti em frente da
estação.
4. Eles falam sempre sobre mim.
5. Aquele livro é para ti.
6. O meu pai preocupa-se muito
comigo.
7. O/A chefe precisa de falar connosco.
8. A Dra. Ana encontra-se com os
senhores amanhã às 14h30.
9. A minha mãe não se lembra de si.
10. O Rui e a Cristina moram perto de
vocês.

F.
1. pintar
2. assim

PORTUGUÊS EM AÇÃO 6

A.

1. bilhete	6. sala
2. classe	7. ideia
3. ida	8. linha
4. regresso	9. carruagem
5. esperar	10. rápido

B.

2. Um bilhete para Coimbra para
o próximo comboio, por favor.
3. Já não há lugares. Está tudo cheio.
4. Não? E no seguinte?
5. Há lugares no comboio das 14h20.
6. Mas isso é daqui a três horas! É muito
tempo.
7. Pois é. Mas não posso fazer nada.
Vai comprar o bilhete?
8. Sim, sim, vou. Tem de ser.

UNIDADE 25

A.

2. f	5. g
3. e	6. b
4. a	7. c

B.

2. ao hospital.
3. aos correios.
4. para a embaixada
5. ao multibanco.
6. ao estádio.
7. ao banco.
8. à esquadra.

C.

2. b) preencher	6. c) depositar
3. c) trocar	7. c) fazer
4. a) pedir	8. b) abrir
5. b) buscar	

D.

	pedir	seguir
eu	peço	sigo
tu	pedes	segues
ele	pede	segue
nós	pedimos	seguimos
eles	pedem	seguem

E.

2. Passe o cruzamento e vá em frente.
3. Vá até ao fim da rua e depois vire
à direita.
4. Vá por aquela rua e vire na segunda
à esquerda.
5. Contorne a rotunda e passe o
semáforo.
6. Apanhe a linha verde e saia na última
estação.

F.

2. vire	6. Sabe
3. há	7. sair
4. Penso	8. descer
5. estou	9. é

G.

2. Leve.	Não leve.
3. Siga.	Não siga.
4. Peça.	Não peça.
5. Diga.	Não diga.
6. Venha.	Não venha.
7. Saia.	Não saia.
8. Suba.	Não suba.
9. Leia.	Não leia.
10. Vá.	Não vá.
11. Ponha.	Não ponha.
12. Desça.	Não desça.
13. Durma.	Não durma.
14. Feche.	Não feche.

H.
1. três
2. correr

UNIDADE 26

A.
2. um cruzeiro
3. um teleférico
4. uma francesinha
5. as caves
6. fado
7. A calçada

B.
2. consigo
3. serve
4. consegues
5. servem
6. conseguimos
7. consegue

C.
2. Sente-se aqui! Sentem-se aqui!
3. Ouça esta música! Ouçam esta música!
4. Veja este filme! Vejam este filme!
5. Divirta-se! Divirtam-se!
6. Ponha isso aqui! Ponham isso aqui!
7. Durma bem! Durmam bem!
8. Espere por mim! Esperem por mim!
9. Desça por aqui! Desçam por aqui!
10. Sirva o vinho! Sirvam o vinho!
11. Pare na esquina! Parem na esquina!
12. Leve dinheiro! Levem dinheiro!
13. Descubra Portugal! Descubram Portugal!

D.
2. sento-me
3. sentam-se
4. te sentes
5. te sentas
6. nos sentamos
7. sentem-se
8. se sente
9. senta-se

E.
2. e) Está a chover, por isso vou ficar em casa.
3. c) Quero comprar esta casa por causa da vista para o mar.
4. a) Vamos chegar atrasados por causa do trânsito.
5. b) Vou mudar de hotel porque há muito barulho aqui.
6. d) Aqui tudo é muito caro, por isso não vou comprar nada.

F.
1. ingredientes
2. ovos
3. Primeiro
4. manteiga
5. coza
6. seguir
7. junte
8. ponha
9. Sirva
10. apetite

G.
mês

UNIDADE 27

A.
2. a) arrume
3. b) passe
4. c) ponha
5. b) aspire
6. a) lave

B.
1. rápido
2. baixo
3. alto
4. devagar

C.
2. Deve ser grego.
3. Deve ter muito dinheiro.
4. Deve estar doente.
5. Deve ser a tua mãe.
6. Deve estar com fome.

D.
2. dão
3. tu
4. dá
5. nós
6. dão
7. dou
8. dá

F.
2. dês
3. deem
4. dê
5. dê
6. dá
7. Deem

G.
2. ao
3. a
4. à
5. os
6. a
7. ao
8. ao

H.
cinema

UNIDADE 28

A.
1. tímido
2. faladora
3. teimoso

4. organizada
5. preguiçosa
6. sociável

B.
1. Uma pessoa impaciente não gosta de/não sabe esperar.
2. Uma pessoa indecisa não sabe o que (deve) fazer.
3. Uma pessoa desarrumada não sabe/não gosta de arrumar coisas.
4. Uma pessoa trabalhadora trabalha muito/gosta de trabalhar.

C.
2. está a nevar
3. está a chover
4. está/faz calor
5. está/faz frio
6. está/há nevoeiro
7. está/há muito vento

D.
2. lindíssima
3. altíssimo
4. perigosíssimo
5. rapidíssimo
6. velhíssimo
7. dificílimo
8. ótimo

F.
2. a norte de
3. a sul de
4. a este de
5. a oeste de

G.
céu

PORTUGUÊS EM AÇÃO 7

A.
b. 6
c. 3
d. 5
e. 1
f. 8
g. 2
h. 7

B.
2. quarto
3. noite
4. chave
5. preço
6. elevador
7. corredor

UNIDADE 29

A.
2. falaram
3. gostaste
4. viajou
5. lavámos

6. arrumaram
7. coloquei
8. estragámos
9. levei
10. voltaste
11. acordou
12. dancei

B.
2. A Ana morou neste bairro dois anos.
3. Ela trabalhou aqui muitos anos.
4. Eles estudaram naquela universidade.
5. Nós casámos em 2004.
6. A Rita comprou este apartamento em maio.
7. Os meus pais mudaram de casa muitas vezes.

C.
2. Acabámos de
3. acabaram
4. acabou de
5. Acabei de
6. acabaste

D.
2. foi   5. Foi
3. foi   6. fui
4. fui

E.
2. imediatamente
3. Finalmente
4. frequentemente
5. facilmente

F.
a. casar
b. terminar o curso
c. começar a trabalhar
d. entrar para a universidade
e. reformar-se
f. comprar casa
g. deixar de fumar

G.
2. terminou o curso
3. começou a trabalhar
4. Casou-se
5. comprou casa
6. Deixou de fumar
7. divorciou-se
8. Reformou-se

H.
1. foi
2. abrir
3. decorar
4. mudou
5. demorou

I.
2. nevou
3. divorciaram-se
4. funcionou
5. trocaste
6. convidou
7. entraram
8. enviei
9. olhou

J.
falámos

UNIDADE 30

A.
2. Ele não tem tempo para ir ao cinema.
3. A Ana não tem interesse em ver este filme.
4. O Paulo sente a falta dos filhos.
5. A Anke tem muitas saudades do país dela.

B.
2. decidi
3. perdeste
4. serviu
5. vendemos
6. abriram
7. consegui
8. discutimos
9. preenchi
10. percebeste
11. recebeu
12. aprendi
13. conheceste
14. preferiu
15. bebi

C.
2. ... levantei-me às ...
3. ... comi ... ao almoço.
4. ... bebi ... ao almoço.
5. ... saí de casa às ...
6. ... cheguei a casa às ...
7. ... falei com ...
8. ... recebi uma mensagem do/da ...
9. ... telefonei à/ao ...
10. ... comprei ...
11. ... andei de/a ...

D.
2. Reservei
3. vivi
4. conduzi
5. Tomaste
6. Vendeste
7. Ouviste
8. voltou
9. comeu
10. partiu
11. fecharam

E.
2. foste
3. Fui
4. um filme
5. Foi
6. fui
7. Foste/Foi
8. Fui
9. a exposição
10. fui
11. foste/foi
12. Uma peça
13. Foi

G.
2. anda a ver
3. anda a pensar
4. anda a ouvir
5. andas a fazer

H.
(há outras possibilidades)
2. Porque é que não leste este livro?
3. Porque é que chegaste atrasado à aula?
4. Quando é que vendeste o carro?
5. Porque é que não telefonaste para a mãe?
6. O que é que bebeste à noite?
7. O que é que fizeste ontem à noite?
8. Gostaste do filme?

I.
1. parte; partiu; partiram; parti
2. fechou; fechamos; fechámos; fechas
3. bebeu; bebam; beberam; bebi

UNIDADE 31

A.
2. f   5. d
3. a   6. c/e
4. c/e

B.
2. ... alguma vez andaste a cavalo?
3. Já alguma vez chumbaste num exame?
4. Já alguma vez fizeste mergulho?
5. Já alguma vez partiste a perna?
6. Já alguma vez fizeste esqui?

D.
2. fez   6. fiz
3. estive   7. vi
4. viste   8. vimos
5. viu   9. teve
                10. tivemos

E.
2. Quando foi a última vez que foste ao médico?
3. Quando é que jantaste fora pela última vez?
4. Quando foi a última vez que viste os teus pais?

F.
2. as mesmas nuvens
3. o mesmo exame
4. os mesmos costumes
5. a mesma exposição
6. o mesmo casal
7. o mesmo ambiente
8. a mesma conversa

G.
2. O Ricardo partiu o braço há ... anos.
3. Em Lisboa, nevou pela última vez há ... anos.
4. O Rui começou a estudar alemão há ... anos.
5. A Maria José reformou-se há ... meses/um mês/um ano.
6. A Rita conheceu o Jorge há ... meses/um mês/um ano.
7. A Ana alugou esta casa há ... anos.
8. O Manuel partiu para o Brasil há ... meses/um mês/um ano.

H.
2. convido
3. consegui
4. chumbámos
5. leio
6. reformaram-se
7. casam-se
8. Depositaste
9. Planeámos
10. vimos
11. esteve
12. perderam
13. foste

I.
mostrar

UNIDADE 32

A.
2. Não lhe digas que estou aqui.
3. Podes perguntar-lhe quando é que ele cá vem?
4. Dei-lhe uma prenda muito gira.
5. Porque é que não queres telefonar-lhes?
6. Traz-lhe uma cadeira.
7. Quando é que vais escrever-lhes?
8. Porque é que lhe compraste um CD?

9. Acho que deves mandar-lhes uma mensagem.
10. Devolveste-lhes as cadeiras?
11. Nunca lhe ofereças flores. Ela é alérgica.

B.
2. inútil
3. prático
4. especial
5. banal
6. estúpido
7. interessante

C.
2. pouco prática
3. pouco interessante
4. pouco inteligente
5. pouco claro
6. pouco saudável

D.
2. Depende
3. devolves/vais devolver
4. pedes emprestado
5. emprestar
6. encomendar
7. Ofereci
8. escolher
9. mostrar

E.

	dar
eu	dei
tu	deste
ele	deu
nós	demos
vocês	deram
eles	deram

F.
2. concerto
3. dono
4. apenas
5. presente
6. igualmente
7. miúdo
8. perfume
9. sobretudo

G.
2. A
3. Em
4. desde
5. a
6. de

PORTUGUES EM AÇÃO 8

A.
1. curtas
2. apertados
3. larga

B.
1. ajuda
2. cor
3. tamanho
4. experimentar
5. gabinetes
6. pequeno
7. ficam
8. preço

UNIDADE 33

A.

Horizontal:	Vertical:
3. gravata	1. vestido
4. casaco	2. fato
6. botas	4. camisola
7. chinelos	5. calções
10. ténis	8. saia
11. camisa	9. calças
12. sapatos	

B.
2. c
3. a
4. c
5. b

C.
2. te despes
3. experimentar
4. te importas
5. calçar
6. andar
7. tirar
8. parece

D.
2. Mostra-nos
3. lhe deste
4. oferecer-te
5. vos perguntei
6. telefonar-lhes
7. Traz-me
8. nos escreveste
9. me mandas
10. te empresto
11. te ficam

E.
2. te
3. lhes/vos
4. lhe
5. me
6. lhe

F.

	vestir	
eu	visto	vesti
tu	vestes	vestiste
ele	veste	vestiu
nós	vestimos	vestimos
eles	vestem	vestiram

	despir	
eu	dispo	despi
tu	despes	despiste
ele	despe	despiu
nós	despimos	despimos
eles	despem	despiram

G.
O homem está vestido com uma *t-shirt*, umas calças e tem uns ténis.
A mulher está vestida com uma *t-shirt*, um casaco, umas calças e tem uns sapatos.

H.
lugar

UNIDADE 34

A./B.
1. a perna
2. a cabeça
3. a barriga
4. o nariz
5. o pescoço
6. a orelha
7. o braço
8. o peito
9. o pé
10. a mão
11. o ombro
12. o estômago
13. a garganta

C.
2. doeu-me
3. lhe dói
4. te doem
5. doeram-lhe

D.
2. passa
3. estou
4. Dói
5. estou
6. Toma
7. marcar
8. Estás
9. dores
10. Há

E.
2. O que é que lhe aconteceu?
3. Há quanto tempo tens essas dores?
4. A Ana teve um acidente de carro.
5. Não achas que deves ir ao médico?

G.
2. exagere
3. faz
4. engorda
5. Comece
6. emagrece

H.
2. trouxeram
3. pôs
4. veio
5. quisemos
6. vieram
7. pusemos
8. disseram

I.
2. puseste; pus
3. vieste; vim
4. disseste; disse
5. quis
6. trouxe; trouxeste

J.
puseste

UNIDADE 35

A.
2. a ama
3. vi-a
4. a encontrei
5. a convido
6. Deixei-as
7. o li
8. tenho-a
9. o assinei
10. a tomei
11. ajudo-a
12. ouço-a/oiço-a
13. a pagas

B.
2. lhe
3. lhe
4. lhe
5. a
6. o

C.
2. decidiu
3. apaixonou-se
4. contou
5. apresentou
6. descobriu
7. morreram

D.
1. Um dia, a Júlia vai a uma festa.
2. Um amigo dela apresenta-lhe um rapaz que se chama Jorge.
3. A Júlia apaixona-se logo por ele.
4. Começa a pensar em casar com ele.
5. Algum tempo depois, a Júlia descobre que o Jorge já é casado.
6. Acaba com o Jorge de imediato.

E.
2. Este café é para quem?
3. Estás a fazer o quê?
4. Vocês agora vão viver onde?
5. Você chama-se como?
6. Falaste com o Paulo quando?
7. Voltas para casa como?
8. Eles vivem nesta casa desde quando?
9. O teu irmão trabalha onde?
10. Vais ao cinema com quem?

F.
2. f.
3. i
4. c
5. a
6. b
7. g
8. h
9. e

G.
próximo

UNIDADE 36

A.
2. floresta
3. guia
4. piscina
5. estadia
6. biblioteca
7. hóspede

B.

	saber	poder
eu	soube	pude
tu	soubeste	pudeste
ele	soube	pôde
nós	soubemos	pudemos
eles	souberam	puderam

C.
2. É possível pagar mais tarde.
3. É proibido parar aqui.
4. É/Vai ser difícil encontrar lugar para o carro.
5. É preciso sair de casa muito cedo.
6. É bom tomar o pequeno-almoço na cama.
7. É/Vai ser fácil alugar esta casa.
8. É mau trabalhar ao domingo.
9. É horrível passar as férias em casa.

D.
1. Hotel Campal
2. Hotel Alux
3. Hotel Lisbom

E.
2. vos vi
3. faz-me
4. visitar-vos
5. te amo
6. vos levo
7. Emprestei-te
8. Dei-te
9. o compres
10. te mandei
11. me aconteceu

F.
famoso

PORTUGUÊS EM AÇÃO 9

A.
2. xarope
3. comprimido
4. receita
5. medicamento
6. embalagem
7. gripe
8. tosse

B.
2. embalagem
3. tosse
4. medicamento

a. comprimido
b. aspirina
c. xarope
d. receita

C.
1. b   3. c
2. d   4. a

UNIDADE 37

A.
2. faziam
3. ajudávamos
4. trabalhavas
5. namorava
6. conhecíamos
7. estavas
8. podíamos
9. dormia

B.

Presente	Imperfeito	Presente	Imperfeito
1. sou	era	11. pomos	púnhamos
2. vem	vinha	12. têm	tinham
3. tens	tinhas	13. vimos	vínhamos
4. põe	punha	14. pões	punhas
5. vens	vinhas	15. somos	éramos
6. põem	punham	16. tenho	tinha
7. são	eram	17. ponho	punha
8. vêm	vinham	18. tem	tinha
9. temos	tínhamos	19. é	era
10. és	eras	20. venho	vinha

C.
2. Antigamente, eram mais calmas.
3. No passado, comiam mais legumes.
4. Antes, viajavam de comboio.
5. Antigamente, bebiam vinho.
6. No passado, muitas pessoas viviam no campo.

7. Antigamente, escreviam cartas.
8. Antigamente, todos faziam compras com dinheiro.
9. No passado, morriam mais cedo.
10. Antigamente, não ajudavam nada.

E.
2. chuva (CL)
3. hospital (SA)
4. estacionamento (TR)
5. hotel (TU)
6. mercearia (CO)
7. museu (TU)
8. febre (SA)
9. saldos (CO)
10. férias (TU)
11. compras (CO)
12. neve (CL)
13. elétrico (TR)
14. estrada (TR)
15. vento (CL)
16. trânsito (TR)
17. dor (SA)
18. nevoeiro (CL)
19. guia (TU)
20. troco (CO)

F.
2. maneira   5. paisagem
3. campo   6. dúzia
4. poluição

H.
dói

UNIDADE 38

A.
2. c) preocupada   5. b) em baixo
3. b) alegre   6. b) triste
4. a) furiosa   7. a) zangado

B.

	Presente	P.P.S.	Imperfeito
eu	rio	ri	ria
tu	ris	riste	rias
ele	ri	riu	ria
nós	rimos	rimos	ríamos
eles	riem	riram	riam

C.
2. pegou   5. bateu
3. Tentei   6. apareceram
4. correu   7. sorriu

D.
2. e   5. a
3. d   6. c
4. b

E.
2. deitou-se; estava
3. chegou; estava
4. olhei; eram
5. Estávamos; começou
6. divorciaram-se; tinha
7. vesti; estava
8. Acendi; estava
9. Eram; saí
10. viu; começou
11. trabalhava; almoçava

F.
2. viagem   4. atraso
3. partida   5. divórcio

G.
2. De   7. à
3. para   8. Por
4. partida   9. anúncio
5. bolso   10. em
6. tocou   11. solução

H.
1. caixa
2. paisagem

UNIDADE 39

A.

Horizontal:	Vertical:
2. compositor	1. disco
4. concerto	3. letra
6. banda	4. canção
7. artista	5. fãs
8. voz	

B.
1. nasceu; morreu   3. gravou
2. vendeu   4. deu

C.
1. cantora   9. Teatro
2. Nasceu   10. Aos
3. Montijo   11. gravou
4. tocar   12. primeiro
5. era   13. discos
6. Conservatório   14. concertos
7. Aos   15. casada
8. trabalhar   16. filhos

D.
2. Neste edifício, alugam-se salas.
3. Nesta casa, não se fala de política.
4. Em Portugal, comem-se muitas azeitonas.
5. Antes do Natal, gasta-se muito dinheiro.
6. Em Portugal, não se tiram os sapatos em casa.

7. No Natal, oferecem-se prendas.

8. Ao fim de semana, não se veem muitas pessoas na rua.

E.

2. Faziam-se muitas festas naquela altura.

3. Antes, vendiam-se fruta e legumes nesta praça.

4. Antigamente, não se falava tanto ao telemóvel.

F.

2. Puseram-no ali.
3. Comeram-na.
4. Ajudaram-na.
5. Vocês têm-nas?
6. Façam-no agora!
7. Eles encontraram-na?
8. Viram-no?
9. Convidem-na!
10. Levaram-no à escola?
11. Põe-na em cima da mesa!
12. Leram-nos?
13. Mandem-na!
14. Comam-no já!
15. Assinem-na!

UNIDADE 40

A.

2. os passageiros
3. soluções
4. os voos
5. As zonas
6. assentos
7. informações

B.

2. regressar	6. encomenda
3. voo	7. costume
4. assento	8. decoração
5. planear	

C.

2. c) cinto	7. b) fazer
3. b) pesa	8. b) cabe
4. c) aterrar	9. b) tomar
5. a) voo	10. c) imprimir
6. c) regar	11. b) guardar

D.

2. Podes ajudá-la?
3. É preciso limpá-la.
4. Quando é que vais fazê-lo?
5. Tens de encontrá-las.
6. Onde é que vais guardá-lo?
7. Estás a imprimi-lo?
8. É proibido levá-las.
9. Não queres calçá-los?

10. Esqueceste-te de arrumá-la.
11. Não podes perdê-lo.
12. Trá-la para aqui.
13. Deves deixar cozê-las mais tempo.
14. Já podemos servi-la.
15. Não posso abri-la.

E.

2.	–	12.	uma
3.	–	13.	um
4.	A	14.	As
5.	A	15.	–
6.	as	16.	o
7.	a	17.	uma
8.	uma	18.	a
9.	–	19.	uma
10.	um	20.	um
11.	o	21.	–

PORTUGUÊS EM AÇÃO 10

A.

Horizontal:	*Vertical:*
2. balcão	1. embarque
5. peça	3. companhia
6. lugar	4. bagagem

B.

1. bagagem	5. embarque
2. mala	6. porta
3. lugar	7. viagem
4. corredor	

GLOSSÁRIO

Este glossário lista as palavras, expressões e atos de fala que constam em todas as tarefas e exercícios do Livro do Aluno e do Caderno de Exercícios. Não inclui o vocabulário das instruções nem das explicações gramaticais. O número que se encontra à frente dos vocábulos listados refere-se à unidade em que o item lexical aparece pela primeira vez. A primeira ocorrência dos itens na secção Português em Ação está assinalada com a letra P, os que aparecem apenas nas Revisões estão assinalados com a letra R e os que ocorrem apenas na secção Atividades de Comunicação estão assinalados com as letras AC.

As expressões e atos de fala que constam neste glossário foram listados atendendo às necessidades do aluno, ou seja, pela palavra que o aluno mais provavelmente não vai conhecer quando encontrar a expressão ou ato de fala pela primeira vez.

O léxico que o aluno adquire com a ajuda deste método faz parte dos níveis A1 e A2 do QECR. Contudo, tal como na vida real, pode, pontualmente, encontrar no Livro do Aluno itens lexicais que pertencem aos níveis superiores. Mesmo que precise de saber o significado destes itens para realizar corretamente as tarefas em que eles aparecem, não precisa de os saber usar nem conhecer para realizar as tarefas futuras nem para terminar este curso com êxito. Estes itens aparecem neste glossário assinalados a itálico e normalmente não constam nas tarefas nem nos índices do vocabulário que se encontram no Caderno de Exercícios.

PORTUGUÊS		INGLÊS	ESPANHOL	RUSSO	MANDARIM
abaixo (de)	28	below	debajo (de)	ниже	在……下面
Um abraço!	12	Best wishes/Regards	¡Un abrazo!	Пока!	信件结束语
aberto	16	open	abierto	открытый	开着的
abril	13	April	abril	апрель	四月
abrir	24	to open	abrir	открывать	开，打开
acabar	13	to finish	acabar	заканчивать	结束；完成
acabar de (fazer algo)	29	to have just (done something)	acabar de (hacer algo)	только что (сделать)	刚刚（做完什么事）
por acaso	35	by chance	por casualidad	случайно	偶然地，意外地
ação, a	32	share	acción	акция	股票
acender	19	to light, to turn on	encender, enchufar	закурить, включить	点燃，打开
acesso, o	24	access	acceso	доступ	到达
achar	8	to think	creer	считать	以为，认为
acidente, o	34	accident	accidente	авария	事故
acima (de)	28	above	encima (de)	выше	在……上面
acontecer	34	to happen	suceder	случиться	发生
acordar	14	to wake up	despertarse	просыпаться, будить	醒，醒来
açúcar, o	P1	sugar	azúcar	сахар	糖
Adeus!	1	Goodbye!	¡Adiós!	До свидания! Пока!	再见！
admirar	26	to admire	admirar	восхищаться	赞叹
adorar	11	to adore	encantar	обожать	酷爱
adormecer	31	to fall asleep	quedarse dormido	заснуть	入睡
adotar	32	to adopt	adoptar	стать опекуном	采取
adulto, o	24	adult	adulto	взрослый	成年人
advogado, o	6	lawyer	abogado	адвокат	律师
aeroporto, o	P2	airport	aeropuerto	аэропорт	机场
agência de viagens, a	18	travel agency	agencia de viajes	бюро путешествий	旅行社
agora	3	now	ahora	сейчас	现在，目前
agosto	13	August	agosto	август	八月

PORTUGUÊS		INGLÊS		ESPANHOL		RUSSO	MANDARIM
agradável	18	nice		agradable		приятный	令人愉悦的
água, a	P1	water		agua		вода	水
aí	5	there		allí		там	那儿
ainda	9	still, yet		aún		ещё	还，仍然
Ainda bem!	13	That's good!		¡Menos mal!		Вот и хорошо!	还好！幸好！
ajuda, a	23	help		ayuda		помощь	帮助，帮忙
ajudar	23	to help		ayudar		помогать	帮助，帮忙
álcool, o	15	alcohol		alcohol		алкоголь	酒精
aldeia, a	37	village		pueblo		деревня	村，村落
alegre	38	cheerful		alegre		весёлый	快乐的
além disso	18	besides		además		кроме того	此外，除此之外
alemão	3	German		alemán		немецкий, немец	德语；德国人
alérgico	32	allergic		alérgico		(У него) аллергия	过敏的
alfabeto, o	19	alphabet		alfabeto		алфавит	字母表
algo	19	something		algo		кое-что, что-то	某事，某物
alguém	19	someone		alguien		кое-кто, кто-то	某人
algum	15	some		algún		кое-какой, какой-то	某些；某个
ali	5	there		allí		там	那儿
alimentação, a	32	food		alimentación		еда	饮食
almoçar	12	to have lunch		almorzar		обедать	吃午饭
almoço, o	14	lunch		almuerzo		обед	午饭
alojamento, o	18	accommodation		alojamiento		жильё	住宿
alterar	36	to change		cambiar		изменить	改变，更改
de altura média	10	medium height		de estatura media		среднего роста	中等身材的
naquela altura	37	then		en aquella época		в то время	那时
alto	10	tall, high		alto		высокий	高的
alugar	22	to rent, to hire		alquilar		снять	租；出租
aluno, o	6	student		alumno		ученик	学生
amanhã	13	tomorrow		mañana		завтра	明天
Até amanhã!	1	See you tomorrow!		¡Hasta mañana!		До завтра!	明天见！
amar	32	to love		amar		любить	爱
amarelo	4	yellow		amarillo		жёлтый	黄色的
amargo	P4	bitter		amargo		горький	苦的
ambiente, o	30	ambience		ambiente		обстановка	气氛
ambos	33	both		ambos		оба	两，两个
ambulância, a	34	ambulance		ambulancia		скорая помощь	救护车
americano	3	American		estadounidense		американский, американец	美国的；美国人
amigo, o	9	friend		amigo		друг	朋友
amor, o	32	love		amor		любовь	爱；爱情
andar	9	to walk		andar		ходить	走，行走
andar (na escola)	9	to be (at school)		ir (al colegio)		ходить (в школу)	上（学）
andar (a fazer algo)	30	to be (doing something)		estar (haciendo algo)		делать (что-то)	一直，持续（在做什么）
andar (de carro)	12	to go (by car)		ir (en coche)		ездить (на машине)	乘（车）
andar (de fato)	33	to wear (a suit)		vestir (de traje)		ходить (в костюме)	穿（西服）
andar, o	6	floor		piso		этаж	（楼房的）层
angolano	3	Angolan		angoleño		ангольский, анголец	安哥拉人；安哥拉的
animal, o	11	animal		animal		животное	动物
ano, o	6	year		año		год	年；岁，岁数
ano novo, o	13	New Year		Año Nuevo		новый год	新年
fazer anos	13	birthday		cumplir años		день рождения	过生日
anteontem	31	the day before yesterday		anteayer		позавчера	前天
antes (de)	14	before		antes (de)		до	在……之前
antigamente	37	in the past		antiguamente		раньше	从前，以前
antigo	7	old, ancient		antiguo		старый	古老的；旧的
antipático	7	unfriendly		antipático		неприятный	令人反感的
anualmente	24	annually		anualmente		ежегодно	每年
anúncio, o	22	advertisement		anuncio		объявление	广告

PORTUGUÊS		INGLÊS	ESPANHOL	RUSSO	MANDARIM
apagar	19	to put out, to turn off	apagar	погасить, выключить	熄灭
apaixonar-se (por)	35	to fall in love (with)	enamorarse (de)	влюбиться (в)	爱上
apanhar	16	to catch	coger	поймать, ловить	捕，抓
apanhar sol	12	to sunbathe	tomar el sol	загорать	晒（太阳）
aparecer	38	to show up	aparecer	появиться	出现
aparência física, a	10	physical appearance	aspecto físico	внешний вид	外表
apartamento, o	6	flat	apartamento	квартира	单元房
apelido, o	6	surname	apellido	фамилия	姓氏
apenas	30	only, just	solo/solamente	всего, только	只是，仅仅
apertado	P8	tight	apretado	тесный	紧的
apetecer	33	to feel like (doing something)	apetecer	хотеться (чего-либо)	想……
Bom apetite!	26	Enjoy your meal!	¡Buen provecho!	Приятного аппетита!	祝好胃口！
aprender	20	to learn	aprender	изучать	学习
apresentar	35	to introduce	presentar	представить	介绍
aquecimento central, o	22	central heating	calefacción central	центральное отопление	中央供暖
aquele	9	that	aquel	тот	那，那个
aqui	5	here	aquí	здесь	这里，这儿
Aqui está!	P1	Here you are!	¡Está aquí!	Пожалуйста!	给你！
aquilo	4	that	aquello	то	那个
ar, o	36	air	aire	воздух	空气
ar condicionado, o	16	air-conditioning	aire acondicionado	кондиционер	空调
árabe	3	Arabic	árabe	арабский	阿拉伯语
área, a	18	area	área	площадь	面积
arquiteto, o	8	architect	arquitecto	архитектор	建筑师
arranjar (bilhete)	36	to get (a ticket)	conseguir (una entrada)	найти (билет)	弄到（票）
arroz, o	15	rice	arroz	рис	大米；米饭
arrumar	27	to tidy	ordenar	убирать	收拾
arte, a	29	art	arte	искусство	艺术
artista, o/a	12	artist	artista	артист	艺术家
árvore, a	22	tree	árbol	дерево	树
aspirar	27	to vacuum	aspirar	пылесосить	吸尘
aspirina, a	33	aspirin	aspirina	аспирин	阿司匹林
assado	16	baked, roast	asado	печёный	烤的
assento, o	40	seat	asiento	сиденье	座位，位置
assim	12	like this	así	так	这样
assinar	25	to sign	firmar	подписать	签署；签名
assinatura, a	AC	signature	firma	подпись	签字，签名
assistência, a	38	assistance	asistencia	помощь	帮助，救助
assistir (a um jogo)	26	to attend (a game)	asistir (a un partido)	посетить (игру)	观看（比赛）
assoalhada, a	22	room	habitación	комната	房间
até	8	even, until	incluso, hasta	даже, до	甚至；直到
ateliê, o	8	studio	estudio de arquitectura	ателье	工作室
Atenção!	35	Look out!	¡Atención!	Внимание!	注意！当心！
atender (o telefone)	20	to answer (the phone)	atender (el teléfono)	ответить (на звонок)	接听（电话）
aterrar	40	to land	aterrizar	приземляться	（飞机）着陆，降落
ativo	36	active	activo	активный	积极的
ator, o	6	actor	actor	актёр	男演员
atrás (de)	16	behind	detrás (de)	за	在……的后面
atrasado	14	late, delayed	retrasado	опоздавший	迟到的
chegar com atraso	23	to arrive late	llegar con retraso	опоздать	迟到，晚到
atravessar	20	to cross	cruzar	переходить	横穿，穿过
atriz, a	6	actress	actriz	актриса	女演员
aula, a	13	class	clase	урок	课
autocarro, o	21	bus	autobús	автобус	公共汽车
autoestrada, a	36	motorway	autopista	автострада	高速公路
autor, o	35	author	autor	автор	作者
avariado	25	out of order	estropeado	неисправный, не работает	（物理性）坏了的

PORTUGUÊS		INGLÊS	ESPANHOL	RUSSO	MANDARIM
avenida, a	24	avenue	avenida	проспект	大街，大道
avião, o	P1	plane	avión	самолёт	飞机
avisar	23	to inform, to warn	avisar	предупреждать	通知
avó, a	9	grandmother	abuela	бабушка	奶奶，外婆
avô, o	9	grandfather	abuelo	дедушка	爷爷，外公
azeite, o	15	olive oil	aceite	оливковое масло	橄榄油
azeitona, a	17	olive	aceituna	оливка	油橄榄
azul	4	blue	azul	голубой	蓝色；蓝色的
azulejo, o	26	tile	azulejo	кафельная плитка	瓷砖
B.I., o	5	ID card	documento identificativo	удостоверение личности	身份证
bacalhau, o	16	codfish	bacalao	треска	鳕鱼
bacon, o	17	bacon	beicon	бекон	培根
bagagem, a	P10	luggage	equipaje	багаж	行李
baguete, a	17	baguette	barra de pan	багет	法式长棍面包
bairro, o	22	neighbourhood	barrio	район	城区
baixo	10	short, low	bajo	низкий	矮的，低的
estar em baixo	38	to be feeling down	estar desanimado	быть в депрессии	情绪低落
balança, a	40	scales	balanza	весы	秤，天平
balcão do *check-in*, o	P10	check-in desk	mostrador de check-in	стойка регистрации	办理登机手续柜台
banal	32	banal	banal	банальный	普通的
banco, o	25	bank	banco	банк	银行
banda (de música), a	39	(music) band	banda (de música)	группа (музыкальная)	乐队
bandeira, a	4	flag	bandera	флаг	旗子，旗帜
banheira, a	22	bathtub	bañera	ванна	浴缸
tomar banho	12	to have a bath	darse un baño	купаться, мыться	洗澡
bar, o	11	bar	bar	бар	酒吧
barato	7	cheap	barato	дешёвый	便宜的
barba, a	10	beard	barba	борода	胡子
barco, o	21	boat, ferry	barco	паром, лодка	船，渡船
barriga, a	34	belly, tummy	barriga	живот	肚子
barulhento	18	noisy	ruidoso	шумный	吵闹的，喧闹的
barulho, o	20	noise	ruido	шум	喧闹声，嘈杂声
bastante	7	quite	bastante	достаточно	相当
batalha, a	AC	battle	batalla	битва	战斗
batata, a	15	potato	patata	картофель	土豆
batatas fritas, as	*38*	crisps, chips	patatas fritas	чипсы	炸土豆片/条
bater à porta	38	to knock at the door	llamar a la puerta	стучать в дверь	敲（门），叫（门）
ficar sem bateria	P5	to go dead/run out of battery	quedarse sin batería	разрядиться (телефон)	没电了
beber	15	to drink	beber	пить	喝
Para beber?	P4	Would you like a drink?	¿Qué va(n) a beber?	Что вы будете пить?	喝点儿什么？
bebida, a	34	drink	bebida	напитки	饮料
Um beijo/beijinho!	23	Kisses	¡Un beso/besito!	Целую!	信件结束语
beleza, a	26	beauty	belleza	красота	美，美丽
belga	AC	Belgian	belga	бельгиец	比利时人
bem	15	well	bien	хорошо	好
bem-disposto	28	in a good mood	alegre	в хорошем настроении	心情好的
bem-vindo	1	welcome	bienvenido	добро пожаловать	欢迎的
benfiquista, o	*11*	Benfica fan	benfiquista	бенфикист	本菲卡俱乐部球迷
biblioteca, a	36	library	biblioteca	библиотека	图书馆
bica (cheia), a	P3	(double) espresso	café solo (largo)	чашечка кофе (полная)	浓咖啡
bicicleta, a	12	bicycle	bicicleta	велосипед	自行车
bigode, o	10	moustache	bigote	усы	髭，八字胡
bilhete, o	24	ticket	entrada, billete	билет	票，门票，入场券
bilheteira, a	24	ticket-office	taquilla	билетная касса	售票处
blusa, a	33	blouse	blusa	блузка	女式衬衣
boca, a	34	mouth	boca	рот	嘴，口
um bocado	22	a little, a bit	un trozo	немного	一点儿

PORTUGUÊS		INGLÊS	ESPANHOL	RUSSO	MANDARIM
bolacha, a	16	biscuit, cookie	galleta	печенье	饼干
bolo, o	16	cake	pastel	торт, пирог	蛋糕
bolso, o	38	pocket	bolsillo	карман	口袋
bom/boa	7	good	bueno/buena	хороший/хорошая	好的
Estás bom/boa?	10	How are you?	¿Estás bien?	Как дела?	你好吗？
Boa!	20	Great!	¡Bien!	Отлично!	好！
ser bom (em)	12	to be good (at)	ser bueno (en)	быть мастером (в)	擅长
bomba de gasolina, a	31	petrol station	gasolinera	заправка	加油站
bonito	7	pretty	bonito, guapo	красивый	漂亮的
borrego, o	17	lamb	cordero	баранина	羔羊肉
botão, o	19	button	botón	кнопка	按钮，电钮
botas, as	33	boots	botas	ботинки, сапоги	靴子
braço, o	34	arm	brazo	рука	胳膊
branco	4	white	blanco	белый	白色的
brasileiro	3	Brazilian	brasileño	бразильский, бразилец	巴西人；巴西的
Estás a brincar!	23	You've got to be kidding!	¡Me estás tomando el pelo!	Ты шутишь!	别开玩笑了！
brindar	27	to toast	brindar	поднимать тост	干杯
brinquedo, o	32	toy	juguete	игрушка	玩具
bronzeado	31	tanned	bronceado	загорелый	古铜色的
ir buscar	14	to get	ir a buscar	идти/ехать за	去取
cá	12	here	aquí	здесь	这儿，这里
cabeça, a	34	head	cabeza	голова	头，脑袋
cabelo, o	10	hair	pelo	волосы	头发
caber	40	to fit	caber	помещаться	容得下，装得进
cacau, o	26	cocoa	cacao	какао	可可
cadeira, a	4	chair	silla	стул	椅子
caderno, o	33	notebook	cuaderno, libreta	тетрадь	本子
café, o	P1	coffee	café	кофе	咖啡
café, o	11	coffee shop	cafetería	кафе	咖啡馆
cair	22	to fall	caer	упасть	掉下，跌落
caixa, a	17	box	caja	коробка	盒子
calado	28	silent, quiet	callado	молчаливый	沉默的
calar-se	23	to shut up	callarse	замолчать	闭嘴，住口
calçada, a	26	pavement	calzada	мостовая	碎石路
calçado, o	33	footwear	calzado	обувь	(集) 鞋
calçar	33	to put on (shoes)	calzar	обувать	穿，戴
calças, as	P8	trousers	pantalones	брюки	裤子
calções, os	33	shorts	pantalones cortos	шорты	短裤
se calhar	5	maybe	quizás, a lo mejor	может быть	也许，可能
calmo	18	quiet	tranquilo	спокойный	平静的，安静的
estar com calor	10	(I am) hot	tener calor	(Мне) жарко	感觉热
estar/fazer calor	28	(It is) hot	hacer calor	жарко	天热
cama, a	14	bed	cama	кровать	床
câmara municipal, a	25	town hall	ayuntamiento	муниципалитет	市政厅
caminho, o	21	way	camino	дорога	路
camioneta, a	21	coach, bus	autobús (interurbano)	автобус	公交车
camisa, a	33	shirt	camisa	рубашка	(男式) 衬衫
camisola, a	33	sweater, jumper	jersey	свитер	毛衣
fazer campismo	31	to go camping	hacer camping	ходить в поход	野营
campo, o	37	countryside	campo	поле	田野，乡村
canção, a	13	song	canción	песня	歌，歌曲
cancelado	40	cancelled	cancelado	отменён	取消的
cancelar	36	to cancel	cancelar	отменить	取消
candeeiro, o	22	lamp	lámpara	светильник	台灯
caneta, a	5	pen	bolígrafo	ручка	钢笔，水笔
cansado	10	tired	cansado	усталый	累的
cansativo	21	tiring	que cansa	утомительный	累人的

PORTUGUÊS		INGLÊS	ESPANHOL	RUSSO	MANDARIM
cantar	10	to sing	cantar	петь	歌唱
cantina, a	16	canteen, cafeteria	comedor	столовая	食堂
cantor, o	6	singer	cantante	певец	歌手，歌唱家
cão, o	11	dog	perro	собака	狗
capital, a	18	capital city	capital	столица	首都
cara, a	34	face	cara, rostro	лицо	脸
carácter, o	*28*	character	carácter	характер	性格，品性
careca, o	10	bald	calvo	лысый	秃头
caril, o	*16*	curry	curry	карри	咖喱
carioca, o	26	from Rio de Janeiro	carioca	житель Рио-де-Жанейро	里约热内卢人
carne, a	15	meat	carne	мясо	肉
caro	7	expensive	caro, costoso	дорогой	贵的
carregador, o	P5	charger	cargador	зарядное устройство	充电器
carregar (em)	19	to press	pulsar	нажать (на)	摁
carreira, a	39	career	carrera	карьера	职业，生涯
carro, o	5	car	coche	машина	轿车，小汽车
carruagem, a	P6	railway car/carriage	vagón	вагон	（火车的）车厢
carta, a	25	letter	carta	письмо	信
carta de condução, a	5	driving licence	permiso de conducir	права	驾驶证
cartão (de crédito), o	P4	(credit) card	tarjeta (de crédito)	(кредитная) карта	信用卡
cartão de embarque, o	40	boarding pass	tarjeta de embarque	посадочный талон	登机牌
cartão de visita, o	*AC*	business card	tarjeta de visita	визитная карточка	名片
carteira, a	5	wallet	cartera	кошелёк	钱包
casa, a	5	house, home	casa	дом	家，房子
casa de banho, a	14	bathroom	cuarto de baño	туалет	卫生间
casaco, o	33	jacket, coat	abrigo, chaqueta	куртка, пиджак	外套
casado	6	married	casado	женатый	结婚的，已婚的
casal, o	31	couple	pareja, la	пара	夫妇
casar (com)	9	to marry	casarse (con)	жениться/выйти замуж	与……结婚
castanho	4	brown	marrón	коричневый	棕色的
castelo, o	24	castle	castillo	замок	城堡
catorze	1	fourteen	catorce	четырнадцать	14
por causa de	26	because of	debido a	из-за	由于
andar a cavalo	31	to ride a horse	andar a caballo	ездить на лошади	骑马
caves de vinho, as	26	wine caves	bodegas	винные погреба	酒窖
cedo	14	early	temprano	рано	早
cem/cento	2/3	one hundred	cien/ciento	сто	100
centenas, as	39	hundreds	centenas	сотни	几百
cêntimo, o	P3	cent	céntimo	цент	（货币）分
centro comercial, o	24	shopping centre	centro comercial	торговый центр	购物中心
centro, o	7	centre	centro, el	центр	中心，中央
cerca de	10	about	sobre	около	约，大约
cereais, os	17	cereals	cereales	хлопья	麦片
cereja, a	39	cherry	cereza	черешня	樱桃
com/de certeza	16	of course, certainly	por supuesto, sin duda	конечно	肯定，确信
certo	31	correct, right	correcto	правильно	没错，刚好
cerveja, a	P1	beer	cerveza	пиво	啤酒
céu, o	28	sky	cielo	небо	天
chá, o	P1	tea	té	чай	茶
chamada (ao telefone), a	13	(phone) call	llamada (de teléfono)	звонок (телефонный)	（电话的）通话
chamar-se	1	(My) name is...	llamarse	звать	名字是，名叫
chão, o	22	floor	suelo, el	пол	地面
chapéu de chuva, o	28	umbrella	paraguas	зонт	雨伞
chato	23	boring, annoying	aburrido	скучный	讨厌的
chave, a	5	key	llave	ключ	钥匙
chávena, a	23	cup	taza	чашка	带把儿的杯子
chefe, o/a	8	boss	jefe	шеф	头儿，头目，长官

PORTUGUÊS		INGLÊS	ESPANHOL	RUSSO	MANDARIM
chegada (do avião), a	P10	arrival (of a plane)	llegada (del avión)	прилет, посадка самолета	（飞机）到达，抵达
chegar	14	to arrive, to come	llegar	приходить	到达，抵达
cheio	16	full	lleno	полный	满的
chinelos, os	33	slippers	zapatillas	тапки	拖鞋
chinês	3	Chinese	chino	китайский, китаец	中国人；中文；中国的
chocolate, o	17	chocolate	chocolate	шоколад	巧克力
chorar	31	to cry	llorar	плакать	哭
chover	20	to rain	llover	идёт дождь	下雨
chumbar (num exame)	31	to fail (an exam)	suspender (un examen)	провалить (экзамен)	（考试）不及格
chuva, a	28	rain	lluvia	дождь	雨，雨水
chuveiro, o	22	shower	ducha	душ	水龙头
cidade, a	5	town, city	ciudad	город	城市
cigarro, o	5	cigarette	cigarrillo	сигарета	烟，香烟
em cima (de)	16	on	encima (de)	на	在……上面
cinco	1	five	cinco	пять	5
cinema, o	11	cinema	cine	кино	电影院
cinquenta	2	fifty	cincuenta	пятьдесят	50
cinto (de segurança), o	19	(seat) belt	cinturón (de seguridad)	ремень (безопасности)	安全带
cinzento	4	grey	gris	серый	灰色的
claro	10	light, fair	claro	светлый	明亮的；清澈的
Claro!	16	Of course!	¡Claro!	Конечно!	当然！
classe, a	P6	class	clase	класс	等级
(música) clássica, a	11	classical (music)	(música) clásica	классическая (музыка)	古典音乐
cliente, o/a	25	customer	cliente	клиент	顾客，客人
clima, o	28	climate	clima	климат	气候
clube (de futebol), o	11	(football) club	club/equipo (del fútbol)	(футбольный) клуб	足球俱乐部
água de coco, a	26	coconut water	agua de coco	кокосовая вода	椰子水
código, o	P5	PIN code	código	пин-код	密码
código postal, o	6	postal code	código postal	почтовый индекс	邮编
coisa, a	17	thing	cosa	вещь	东西，事务
Coitado!	34	Poor you!	¡Pobre!	Бедненький!	真可怜！
colega, o/a	8	colleague	colega, compañero	коллега	同学，同事
colher, a	23	spoon	cuchara	ложка	勺子
colina, a	24	hill	colina	холм	山丘
colocar	26	to put, to place	colocar	положить	放，搁，放置
com	P1	with	con	с	与
Está combinado!	23	That's a deal!	Vale, quedamos así.	Договорились!	一言为定！
comboio, o	20	train	tren	поезд	火车
começar	13	to begin	comenzar	начинать	开始
comer	15	to eat	comer	есть	吃
comércio, o	37	trade, commerce	comercio	торговля	贸易
comida, a	11	food	comida	еда	食物
comissário, o	P1	flight attendant	auxiliar de vuelo	бортпроводник	空乘人员
como	1	what, how	cómo/como	как	如何
Como?	1	Excuse me?	¿Cómo?	Что?	什么？
A como é?	17	How much is it?	¿Cuánto cuesta?	По чём…?	怎么卖的？
companhia, a	38	company	compañía	компания	公司
companhia aérea, a	P10	airline	compañía aérea	авиакомпания	航空公司
completamente	35	completely	completamente	полностью	完全，彻底
nome completo, o	6	full name	nombre y apellidos	полное имя	全名
compositor, o	39	composer	compositor	композитор	作曲者，作曲家
comprar	17	to buy	comprar	покупать	买，购买
compras, as	11	shopping	compras	покупки	买的东西
Não compreendo!	4	I don't understand!	¡No entiendo!	Не понимаю!	不懂！不明白！
comprido	10	long	largo	длинный	长的
comprimido, o	P9	pill	comprimido, pastilla	таблетка	药片
computador, o	4	computer	ordenador	компьютер	电脑

PORTUGUÊS		INGLÊS	ESPANHOL	RUSSO	MANDARIM
concerto, o	32	concert	concierto	концерт	音乐会；协奏曲
concorrente, o/a	8	contestant	competidor	конкурент	竞争者
concurso, o	31	contest	concurso	конкурс	比赛
conduzir	20	to drive	conducir	водить (машину)	驾驶
confortável	21	comfortable	cómodo	удобный	舒服的
congelado	23	frozen	congelado	замороженный	冻结的
conhecer	18	to know, to meet	conocer	знать, познакомиться	认识
conhecimento, o	25	knowledge	conocimiento	знание	知识
conjunto, o	33	set	conjunto	набор, комплект	套
conseguir	26	to manage	conseguir	получаться, мочь	能够
conselho, o	34	advice	consejo	совет	忠告
constipado	34	to have a cold	resfriado	(Я) простудился	感冒的
consulta (médica), a	34	(medical) appointment	consulta (médica)	(медицинская) консультация	就诊
conta, a	P3	check, bill	cuenta	счёт	账单
conta (bancária), a	25	(bank) account	cuenta (bancaria)	счёт (банковский)	银行账户
tomar conta	40	to look after	cuidar	присматривать	照看，照顾
contar (uma história)	35	to tell (a story)	contar (una historia)	рассказать	讲述（故事）
continuar	29	to continue	continuar, seguir	продолжать	继续
contornar	25	to go round, to pass	rodear	объехать	绕过
conversa, a	30	conversation	conversación	беседа	交谈，会谈
conversar	37	to talk, to chat	conversar	разговаривать	交谈，聊天
convidado, o	19	guest	invitado	приглашённый	(邀请的) 客人，嘉宾
convidar	23	to invite	invitar	приглашать	邀请
convite, o	23	invitation	invitación	приглашение	邀请
copo, o	15	glass	vaso	стакан	玻璃杯
cor, a	4	colour	color	цвет	颜色，色彩
coração, o	34	heart	corazón	сердце	心，心脏
cor de laranja	4	orange	naranja (color)	оранжевый	橙色
cor de rosa	4	pink	rosa (color)	розовый	粉红色
coreano	17	Korean	coreano	корейский	韩国的；韩国人
corpo, o	34	body	cuerpo	тело	身体
corredor, o	P7	hallway, corridor	pasillo	коридор	走廊，过道
correio, o	25	post, mail	correo	почта	邮政
correios, os	25	post-office	oficina de Correos	почта	邮局
correr	15	to run	correr	бегать	跑，奔跑
correto	24	correct, right	correcto	правильно	正确的
costa, a	18	coast	costa	побережье	海岸
costas, as	34	back (body part)	espalda	спина	背部，脊背
costumar	30	usually (do something)	acostumbrar, soler	обычно (что-то делать)	习惯
costumes, os	27	habits	costumbres	обычаи	风俗习惯
cozer	26	to cook, to boil	cocer	варить	煮，熬
cozido	16	cooked, boiled	cocido	варёный	煮的
cozinha, a	22	kitchen	cocina	кухня	厨房
cozinhar	10	to cook	cocinar	готовить	烹调，做饭
cozinheiro, o	36	cook	cocinero	повар	厨师
criança, a	13	child	niño	ребёнок	小孩，儿童
croissant (simples), o	P3	(plain) croissant	cruasán (simple)	круассан	牛角面包
cruzamento, o	25	crossroads	cruce	перекрёсток	十字路
cruzeiro, o	26	cruise	crucero	круиз	巡航
Cuidado!	35	Watch out!	¡Cuidado!	Осторожно!	小心！
programa de culinária, o	38	cooking show	programa de cocina	кулинарная программа	烹饪节目
cultura, a	27	culture	cultura	культура	文化
Cumprimentos!	36	Sincerely/Regards	¡Saludos!	С уважением	祝好！
curso, o	29	course	curso	курс	课程；专业
curto	10	short	corto	короткий	短的
custar	19	to cost	costar	стоить	花费，值（钱）
de baixo custo	40	low cost	de bajo costo	бюджетный, лоу-кост	低成本

PORTUGUÊS		INGLÊS	ESPANHOL	RUSSO	MANDARIM
dançar	10	to dance	bailar	танцевать	跳舞
daqui a	13	in (+ time)	dentro de	через	从现在开始到……
dar	27	to give	dar	дать/давать	给
data de nascimento, a	13	date of birth	fecha de nacimiento	дата рождения	出生日期
debaixo (de)	16	under	debajo (de)	под	在……下面
decidir	35	to decide	decidir	решить	决定（做某事）
décimo	6	tenth	décimo	десятый	第十
decoração, a	39	decoration	decoración	дизайн	装饰
decorar	29	to decorate	decorar	украшать	装饰
dedo, o	34	finger, toe	dedo	палец	指头
deitar-se	14	to go to bed, to lie down	acostarse	ложиться спать, лечь	躺下，睡觉
deixar (algo/alguém)	20	to leave (something/somebody)	dejarle (algo/a alguien)	бросать, оставлять	离开（某事/某人）
deixar (de fazer algo)	29	to stop (doing something)	dejar (de hacer algo)	бросить (что-то делать)	不再、放弃（某事）
dele/dela	5	his/her(s)	su(yo)/su(ya)	его/её	他的/她的
deles/delas	5	their(s)	su(yo)/su(ya)	их	他们的/她们的
demorar	29	to take long	durar, llevar	занимать много времени	持续
dente, o	34	tooth	diente	зуб	牙齿
dentro (de)	16	inside	dentro (de)	в	在……里面
depender (de)	32	depend (on)	depender (de)	зависеть (от)	取决于；看情况
depois (de)	14	after	después (de)	после	在……之后
depositar dinheiro	25	to deposit money	ingresar dinero	внести деньги на счёт	存（钱）
desagradável	18	unpleasant	desagradable	неприятный	令人不舒服的
desarrumado	28	untidy	desordenado	неприбранный	凌乱的，紊乱的
descalçar	33	to take off (one's shoes)	descalzar	разуться	脱去（鞋子）
descansar	15	to rest, to relax	descansar	отдохнуть	休息
descer (as escadas)	22	to go down (the stairs)	bajar (las escaleras)	спуститься (по лестнице)	从（楼梯）下来
descobrir	26	to discover, to find out	descubrir	сделать открытие, узнавать	发现
desconfortável	21	uncomfortable	incómodo	неудобный	不舒服的
desconto, o	24	discount, reduction	descuento	скидка	打折，折扣
Desculpe!	1	Sorry! Excuse me!	¡Perdone!	Извините!	对不起！不好意思！
pedir desculpa por	35	to be sorry for	pedir disculpas por	просить прощения за	为……道歉
desde	32	since	desde	с	从，自
deserto, o	40	desert	desierto	пустыня	沙漠，荒漠
desligar	16	to turn off, to hang up	desconectar, apagar	выключить	挂断；切断（电源）
despachar-se	P6	to hurry up	apresurarse	поторопиться	快点
despedir-se	30	to say goodbye	despedirse	попрощаться	告别
despertador, o	38	alarm-clock	despertador	будильник	闹钟
despir	33	to take off	quitarse (prenda de ropa)	снять (одежду)	脱去（什么东西）
despir-se	33	to get undressed	desnudarse	раздеться	脱去衣服
desporto, o	11	sport	deporte	спорт	体育
detestar	11	to hate	detestar	ненавидеть	痛恨，厌恶
devagar	27	slowly	despacio	медленно	慢慢地
dever	27	to have to, must be	deber	должен, наверно	应该
devolver	32	to give back	devolver	возвращать	归还
dez	1	ten	diez	десять	10
dezanove	1	nineteen	diecinueve	девятнадцать	19
dezasseis	1	sixteen	dieciséis	шестнадцать	16
dezassete	1	seventeen	diecisiete	семнадцать	17
dezembro	13	December	diciembre	декабрь	12月
dezenas, as	39	dozens	decenas	десятки	几十
dezoito	1	eighteen	dieciocho	восемнадцать	18
dia, o	8	day	día	день	天，日；白天
Bom dia!	1	Good morning!	¡Buenos días!	Добрый день!	上午好！
dia da semana, o	1	day of the week	día de la semana	день недели	一周中的某一天
Dia das Bruxas, o	13	Halloween	Día de las Brujas	Хеллоуин	万圣节
Dia de São Patrício, o	13	Saint Patrick's Day	Día de san Patricio	День святого Патрика	圣帕特里克节
Dia de São Valentim, o	13	Valentine's Day	Día de san Valentín	День святого Валентина	情人节

PORTUGUÊS		INGLÊS	ESPANHOL	RUSSO	MANDARIM
Dia do Trabalhador, o	13	May Day	Día del Trabajador	День трудящихся	劳动节
diariamente	24	daily	a diario	ежедневно	每天，每日
dicionário, o	4	dictionary	diccionario	словарь	字典，辞书
dieta, a	15	diet	dieta, régimen	диета	节食
diferença, a	12	difference	diferencia	разница	不同，区别
diferente	12	different	diferente	другой, отличаться	不同的
difícil	8	difficult	difícil	трудный	难的，困难的
dinheiro, o	5	money	dinero	деньги	钱
Direito, o	21	Law	Derecho	Право	法学
direito	6	right	derecho	правый	右边的
à direita	25	on/to the right	a la derecha	справа/направо	右边，右方
disco, o	39	album, record	disco	диск	唱片
discoteca, a	11	disco	discoteca	дискотека	迪斯科舞厅
discutir	23	to argue	discutir	спорить, ругаться	争论
distância, a	18	distance	distancia	расстояние	距离
divertido	23	funny	divertido	забавный	有意思的
divertir-se	20	to enjoy	divertirse	развлекаться	娱乐，玩
divisão (da casa), a	22	compartment (in a house)	habitación	комната	(房子的）隔间
divorciado	6	divorced	divorciado	разведённый	离婚的
divorciar-se	29	to divorce	divorciarse	развестись	离婚
divórcio, o	38	divorce	divorcio	развод	离婚
dizer	22	to say, to tell	decir	говорить, сказать	说，讲
Como se diz...?	4	How do you say...?	¿Cómo se dice...?	Как сказать...?	怎么说?
Diga!	P3	Can I help you?	¡Diga!	Я вас слушаю!	请说!
Diga?	38	Pardon?	¿Cómo?	Что-что?	什么事? 怎么回事?
doce	P4	sweet	dulce	сладкий	甜的
doce (de laranja), o	17	marmalade	mermelada (de naranja)	варенье (апельсиновое)	甜点，甜品
doces, os	32	sweets	dulces	сладости	糖果
doente	10	ill, sick	enfermo	больной	生病的
doer	34	to ache, to hurt	doler	болеть	疼，痛
dois	1	two	dos	два	2
domingo, o	1	Sunday	domingo	воскресенье	星期天，周日
dona de casa, a	6	housewife	ama de casa	домохозяйка	家庭主妇
dono, o	29	owner	dueño	хозяин, владелец	业主
dor, a	34	pain	dolor	боль	痛，疼痛
dormir	15	to sleep	dormir	спать	睡觉
dose, a	17	serving, portion	ración	порция	一份（菜品）
doze	1	twelve	doce	двенадцать	12
duas	5	two	dos	две	2
tomar duche	14	to take a shower	darse una ducha	принимать душ	洗淋浴
quarto duplo, o	P7	double room	habitación doble	двухместный номер	双人间，标准间
duração, a	18	duration	duración	продолжительность	时间长度
durante	14	during	durante	в течение	在......期间
durar	13	to last	durar	длиться	持续（时间）
duzentos	3	two hundred	doscientos	двести	200
dúzia, uma	37	dozen	docena	дюжина	一打
edifício, o	24	building	edificio	здание	楼房，大厦
ele /ela	1	he/she	él/ella	он/она	他/她
elétrico, o	21	tram	tranvía	трамвай	电车
elevador, o	26	funicular	elevador, ascensor	фуникулёр	索道电车
elevador, o	P7	lift	ascensor	лифт	电梯
em	2	in	en	в, на	(表示地点、位置）在
emagrecer	34	to lose weight	adelgazar	похудеть	变瘦
embaixada, a	25	embassy	embajada	посольство	大使馆
embalagem, a	P9	packet, pack	envase	упаковка	包装
embarque, o	P10	boarding	embarque	посадка	登机
ir-se embora	30	to go (away)	marcharse	уходить/уезжать	走，离开

PORTUGUÊS		INGLÊS		ESPANHOL	RUSSO	MANDARIM
embrulhar	32	to wrap		envolver	завернуть	包裹
ementa, a	16	menu		menú	меню	菜单
emprego, o	29	job		empleo	работа	工作，就业
empregada doméstica, a	8	housekeeper		empleada del hogar	домработница	家政服务员
empregado de mesa, o	6	waiter		camarero	официант	餐馆服务员
empresa, a	8	company, firm		empresa	фирма	企业
empresário, o	8	entrepreneur		empresario	бизнесмен	企业家
emprestar	32	to lend		prestar	одалживать	借出
Empurre	35	Push		Empuje	От себя	推（门上的提示语）
encerrar	24	to close		cerrar	закрывать	关门
encomenda, a	25	parcel, order		paquete, encargo	посылка, заказ	邮包，订单
encomendar	32	to order		encargar	заказать	预定，订货
encontrar	29	to find		encontrar	найти	找到
encontrar-se (com)	14	to meet		encontrarse (con)	встречаться (с)	与……会合
encontro, o	15	meeting		reunión	встреча	会晤，会面
enfermeiro, o	6	nurse		enfermero	медбрат	护士
engenheiro, o	6	engineer		ingeniero	инженер	工程师
engordar	34	to put on weight		engordar	толстеть	变胖
enorme	37	huge		enorme	огромный	巨大的
ensinar	20	to teach		enseñar	учить (кого-либо)	教，教授
então	13	so		entonces	тогда	那么，这样的话
entrada, a	16	starter		entremés	закуска	开胃菜
entrada, a	22	hall		entrada	вход	入口，进口，门
entrar	22	to enter, to come in		entrar	входить	进入
entre	12	between, among		entre	между	在……之间
entrevista, a	29	interview		entrevista	собеседование	采访；面试
envelope, o	25	envelope		sobre	конверт	信封
enviar	20	to send		enviar	посылать	寄，寄送
errado	24	incorrect, wrong		equivocado, incorrecto	неправильно	错的
escadas, as	22	stairs		escaleras	лестница	阶梯，楼梯
escola, a	5	school		escuela	школа	学校
escolher	23	to choose		elegir	выбрать	挑选
escrever	20	to write		escribir	написать	写
Como se escreve?	4	How do you spell it?		¿Cómo se escribe?	Как пишется?	怎么写？
escritório, o	5	office		oficina	офис	写字楼，办公楼
escuro	10	dark		oscuro	тёмный	暗的
espaço, o	22	space		espacio	место	空间
espanhol	3	Spanish		español	испанский, испанец	西班牙语；西班牙人
especial	32	special		especial	особенный	特别的，特殊的
espelho, o	22	mirror		espejo	зеркало	镜子
esperar (por)	21	to wait (for)		esperar (por)	ждать	等待
esquadra de polícia, a	25	police station		comisaría de policía	отделение полиции	警所，警察局
esquecer-se (de)	15	to forget		olvidarse (de)	забывать	忘记
esquerdo	6	left		izquierdo	левый	左边的
à esquerda	25	on/to the left		a la izquierda	влево/налево	左边，左方
fazer esqui	31	to go skiing		esquiar	кататься на лыжах	滑雪
esquina, a	25	corner		esquina	угол	街角
esse/essa	9	that		ese/esa	этот/эта	那个
estação de comboios, a	21	railway station		estación de tren	железнодорожная станция	火车站
estação do ano, a	28	season		estación del año	время года	季节
estacionar	12	to park		aparcar	парковать	停（车），泊（车）
estadia, a	18	stay		estancia	отдых, визит	停留，逗留
Boa estadia!	P2	Have a nice stay!		¡Buena estancia!	Приятного отдыха!	祝在（某地）逗留愉快！
estádio, o	24	stadium		estadio	стадион	体育场
estado civil, o	6	marital status		estado civil	семейное положение	婚姻状况
estante, a	22	bookcase		estantería	стеллаж	书架
estar	3	to be		estar	быть, есть	处于、处在（某种状态）

PORTUGUÊS		INGLÊS		ESPANHOL		RUSSO	MANDARIM
Como está?	1	How are you?		¿Cómo está?		Как дела?	你好吗?
Está?/Estou?	20	Hello?		¿Diga?/¿Sí?		Алло!	(打电话) 喂? 你好!
estatísticas, as	9	statistics		estadísticas		статистика	统计
este/esta	9	this		este/esta		этот/эта	这个
este, o	28	east		este		восток	东
estômago, o	34	stomach		estómago		желудок	胃
estrada, a	20	road		camino		дорога	道路
estragar	23	to spoil		estropear		испортить	破坏
estrangeiro, o	11	abroad		extranjero		заграница	外国
estrangeiro, o	12	foreigner		extranjero		иностранец	外国人
estreito	18	narrow		estrecho		узкий	窄的
estrela, a	18	star		estrella		звезда	星星
estudante, o/a	6	student		estudiante		студент	学生, 大学生
estudar	8	to study		estudiar		учиться	学习
estúpido	30	stupid		estúpido		глупый	愚蠢的, 笨的
eu	1	I		yo		я	我
euro, o	P3	euro		euro		евро	欧元
evitar	34	to avoid		evitar		избежать	避免
exagerar	34	to exaggerate		exagerar		преувеличивать	夸张
exame, o	31	exam		examen		экзамен	考试
por exemplo	32	for example		por ejemplo		например	比如
exercício, o	15	exercise		ejercicio		упражнение	锻炼
fazer exercício	15	to do exercise		hacer ejercicio		делать упражнение	锻炼身体
existir	37	to exist, to be		existir		существовать	存在
êxito, o	29	success		éxito		успех	成功
Exmos. Senhores,	36	Dear Sirs		Estimados señores:		Уважаемые господа	尊敬的先生们
experiência, a	40	experience		experiencia		опыт	经验
experimentar (roupa)	P8	to try on (clothes)		probar (ropa)		мерить (одежду)	试穿（衣服）
explorar	26	to explore		visitar		исследовать	探究, 探索
exposição, a	30	exhibition		exposición		выставка	展览
fã, o/a	39	fan		fan		поклонник	粉丝
faca, a	23	knife		cuchillo		нож	刀
fácil	19	easy		fácil		лёгкий	容易的
de facto	37	in fact		de hecho		на самом деле	确实
fadista, o/a	39	fado singer		cantante de fado		фадист	(法都) 歌唱家
falador	28	talkative		hablador		разговорчивый	话多的
falar	3	to speak, to talk		hablar		говорить	说；谈论
sentir a falta de	30	to miss		echar de menos		скучать	感觉缺……；想念……
faltar	13	it's ... until/to ...		faltar		до ... осталось ...	缺, 缺少
família, a	9	family		familia		семья	家庭
famoso	24	famous		famoso		известный	著名的, 有名的
farmácia, a	33	chemist's		farmacia		аптека	药店
fatia, a	26	slice		rebanada, loncha		кусок	(食品的) 一片, 一块
fato de banho, o	33	swimsuit		bañador		купальник	泳衣
fato, o	33	suit		traje		костюм	西服
faz/por favor	P1	Here you are!/please		por favor		пожалуйста	请!
fazer	13	to do, to make		hacer		делать	做
Não faz mal.	P3	No problem.		No pasa nada.		Ничего страшного.	没关系。
febre, a	34	fever		fiebre		температура (жар)	发烧
fechado	16	closed		cerrado		закрытый	关闭的
fechar	24	to close		cerrar		закрывать	关, 关闭
feijão, o	17	beans		habichuela, alubia		фасоль	菜豆
feio	7	ugly		feo		некрасивый	丑的, 丑陋的
feliz	35	happy		feliz, afortunado		счастливый	幸福的
felizmente	8	fortunately		afortunadamente		к счастью	幸好, 幸运的是
férias, as	7	holiday		vacaciones		отпуск	假期
Boas férias!	7	Enjoy your holiday!		¡Buenas vacaciones!		Хорошего отпуска!	祝假期愉快!

PORTUGUÊS		INGLÊS	ESPANHOL	RUSSO	MANDARIM
festa, a	13	party	fiesta	вечеринка	聚会
fevereiro	13	February	febrero	февраль	二月
fiambre, o	17	ham	jamón york	ветчина	火腿肉；冷餐肉
ficar	2	to be (located)	quedar	находиться	位于
ficar	P2	to stay	alojarse, quedarse	остановиться	住在
ficar (triste)	38	to get (sad)	quedarse (triste)	загрустить	变得（伤心）
Fica bem!	P5	Take care!	¡Cuídate!	Всего хорошего!	慢走！
Isto fica-te bem.	P8	It suits you.	Esto te queda bien.	Это тебе идёт.	你穿挺合适的。
ficha de inscrição, a	AC	enrolment form	formulario de inscripción	регистрационный бланк	报名表
fiel	R13/16	loyal	fiel	верный	忠实的，可靠的
fila, a	39	row	fila	ряд	排
filha, a	9	daughter	hija	дочь	女儿
filho, o	9	son	hijo	сын	儿子
filme, o	10	film	película	фильм	电影
fim, o	13	end	fin	конец	结束，结尾
fim de semana, o	13	weekend	fin de semana	выходные дни	周末
finalmente	26	finally	por fin	в конце концов	终于，最终
flor, a	18	flower	flor	цветок	花，鲜花
floresta, a	36	forest	bosque	лес	森林
fogão, o	22	cooker	cocina	кухонная плита	炉子，炉灶
estar com fome	10	to be hungry	tener hambre	быть голодным	饿了
fora (de)	7	out (of), outside	fuera (de)	за, снаружи	在......外面
formação, a	39	education	formación	образование	培训，培养
formulário, o	25	form	impreso	формуляр	表
forno, o	22	oven	horno	духовка	烤炉，烤箱
forte	16	strong	fuerte	сильный	强壮的
fotografia, a	9	photo	fotografía	фотография	照片，相片
fraco	16	weak	débil	слабый	弱的
francês	3	French	francés	французский, француз	法语；法国人
frango, o	15	chicken	pollo	цыплёнок	肉鸡；鸡肉
frasco, o	AC	jar	bote, frasco	банка	（玻璃等的）瓶子
ir em frente	25	to go straight ahead	seguir adelante	идти/ехать прямо	往前走
em frente (de)	16	in front of	delante (de)	перед	在......对面
Com que frequência?	30	How often?	¿Con qué frecuencia?	Как часто?	多久去一次？
frequente	29	frequent	frecuente	частый	经常的，频繁的
frequentemente	15	often	frecuentemente	часто	经常地，频繁地
fresco	R13/16	fresh	fresco	свежий	新鲜的
água fresca	P3	chilled water	agua fresca	холодная вода	凉水
frigorífico, o	22	fridge	frigorífico, nevera	холодильник	冰箱
frio	16	cold	frío	холодный	冷的
estar com frio	10	(I am) cold	tener frío	(Мне) холодно	感觉冷
estar/fazer frio	28	(it is) cold	hacer frío	холодно	天冷
frito	16	fried	frito	жареный	油炸的
fronteira, a	P2	border	frontera	граница	边境，边界
fruta, a	15	fruit	fruta	фрукты	水果
fugir	36	to run away	huir	убежать	逃跑
fumado	16	smoked	ahumado	копчёный	烟熏的
fumar	10	to smoke	fumar	курить	抽（烟）
funcional	R37/40	functional	funcional	функциональный	功能的
funcionar	29	to be working (of a machine)	funcionar	работать	运作，运转
funcionário, o	25	staff member	empleado	служащий	职员
ao fundo (de)	P7	at the end of, down (sth)	al fondo (de)	в глубине, в конце	在......底部
furioso	38	furious	furioso	разъярённый	愤怒的
futebol, o	11	football	fútbol	футбол	足球
gabinete de prova, o	P8	fitting room	probador	примерочная	试衣间
galeria de arte, a	29	art gallery	galería de arte	художественная галерея	画廊，美术馆
ganhar	AC	to win	ganar	выиграть	赢得

PORTUGUÊS		INGLÊS	ESPANHOL	RUSSO	MANDARIM
ganhar (dinheiro)	8	to earn	ganar (dinero)	зарабатывать	挣（钱）
garagem, a	22	garage	garaje	гараж	车库
garfo, o	23	fork	tenedor	вилка	餐叉
garganta, a	34	throat	garganta	горло	嗓子，喉咙
garrafa, a	5	bottle	botella	бутылка	瓶子
água com gás	P1	sparkling water	agua con gas	газированная вода	带气的水
gastar	19	spend	gastar	тратить	花费
gato, o	10	cat	gato	кошка	猫
gelado, o	16	ice cream	helado	мороженое	冰激凌
gelo, o	P1	ice	hielo	лёд	冰，冰块
gente, a	23	people, we, us	gente, nosotros	люди, мы	人；咱们
toda a gente	23	everybody	toda la gente	все	大家，所有人
Gestão, a	30	Management	Administración de empresas	Управление	管理学
ginásio, o	11	gym	gimnasio	спортзал	健身房
girafa, a	20	giraffe	jirafa	жираф	长颈鹿
giro	9	cute	guapo	красивый	漂亮的
gordo	10	fat	gordo	толстый	肥胖的
gostar	7	to like	gustar	нравиться	喜欢
gostos, os	10	likes, preferences	gustos	вкусы	情趣，趣味
Muito gosto!	1	Nice to meet you!	¡Mucho gusto!	Очень приятно!	很高兴认识你/您！
grama, o	27	gram	gramo	грамм	克
grande	7	big	grande	большой	大的
gratuito	24	free of charge	gratuito	бесплатный	免费的
grau, o	18	degree	grado	градус	（气温）度
gravar	39	to record	grabar	записать	录制
gravata, a	33	tie	corbata	галстук	领带
grave	34	serious	serio	серьёзный	严重的
grávida	R33/36	pregnant	embarazada	беременная	怀孕的
grego	3	Greek	griego	греческий, грек	希腊人；希腊语
grelhado	16	grilled	a la parrilla	жареный на гриле	（在烤架上）烤制的
gripe, a	34	flu	gripe	грипп	流感
gritar	36	to shout	gritar	кричать	喊，叫喊
guardanapo, o	23	napkin	servilleta	салфетка	餐巾
guardar	40	to keep, to save	guardar	положить, сохранить	保存
guerra, a	AC	war	guerra	война	战争
guia, o	40	guidebook	guía	путеводитель	指南，手册
guia, o/a	36	guide	guía	гид	导游
guitarra, a	19	guitar	guitarra	гитара	吉他
guloso	31	greedy, sweet-tooth	goloso	сластёна	贪吃的；讲究吃的
hábitos, os	12	routines	hábitos	привычки	习惯，习俗
haver	17	there is/are	haber	иметь	有
Não há (pão).	17	There is no (bread).	No hay (pan).	Нет (хлеба).	没（面包）了。
história, a	24	history	historia	история	历史
histórico	7	historical	histórico	исторический	历史的
hoje	13	today	hoy	сегодня	今天
hoje em dia	37	nowadays	hoy en día	в наши дни	如今
holandês	AC	Dutch	holandés	голландец	荷兰人
homem, o	9	man	hombre	мужчина	男人
hora, a	8	hour	hora	час	小时
hora do almoço, a	14	lunchtime	hora del almuerzo	обеденное время	午饭时间
horário, o	24	schedule	horario	расписание	时间表
horrível	34	awful	horrible	ужасный	可怕的
Que horror!	34	How awful!	¡Qué horror!	Какой ужас!	太可怕了！太恐怖了！
hóspede, o/a	36	guest	huésped	гость	客人，宾客
hospital, o	8	hospital	hospital	больница	医院
hotel, o	7	hotel	hotel	гостиница	宾馆，酒店
húmido	22	moist, damp	húmedo	влажный	潮湿的

PORTUGUÊS		INGLÊS	ESPANHOL	RUSSO	MANDARIM
húngaro	AC	Hungarian	húngaro	венгр	匈牙利人
ida e volta	P6	return ticket	ida y vuelta	туда и обратно	来回
idade, a	6	age	edad	возраст	年龄，岁数
Boa ideia!	16	Good idea!	¡Buena idea!	Отличная идея!	好主意！
igreja, a	24	church	iglesia	церковь	教堂
igual	12	the same	igual	одинаковый	一样的，相同的
igualmente	28	equally	igualmente	также	同样，一样
Igualmente!	15	Same to you!	¡Igualmente!	Вам того же!	同样也祝你……！
ilha, a	18	island	isla	остров	岛，海岛
imediatamente	29	immediately	inmediatamente	сразу же	立刻，马上
imediato	29	immediate	inmediato	мгновенный	立刻的，马上的
imenso	29	a lot (of)	mucho	много	大量的
agência imobiliária, a	22	real estate agency	agencia inmobiliaria	агентство недвижимости	房地产中介公司
agente imobiliário, o	22	real estate agent	agente inmobiliario	риэлтор	房地产代理人
impaciente	28	impatient	impaciente	нетерпеливый	没耐心的，不耐烦的
imperial, a	30	small draft beer	caña	стакан пива	生啤，扎啤
importante	15	important	importante	важный	重要的
importar-se (de)	33	to mind	importarse	иметь (что-либо) против	介意，在乎
impresso, o	25	form	impreso	бланк	(印刷的）表格
imprimir	40	to print	imprimir	распечатать	印刷，打印
tudo incluído	18	all inclusive	todo incluido	всё включено	全部包括在内
incómodo, o	35	inconvenience	molestias	беспокойство	麻烦，不方便
indeciso	28	indecisive	indeciso	нерешительный	犹豫不决的
indiano	3	Indian	indio	индийский, индус	印度人；印度的
quarto individual, o	P7	single room	habitación individual	одноместный номер	单人间
infeliz	35	unhappy	infeliz	несчастный	不幸的
infelizmente	8	unfortunately	desgraciadamente	к сожалению	不幸的是
informação, a	25	information	información	информация	信息
informático, o	6	computer engineer	informático	информатик	电脑技术员
inglês	3	English	inglés	английский, англичанин	英语；英国人
ingrediente, o	26	ingredient	ingrediente	ингредиент	成分，配料
início, o	21	start	principio	начало	开始
inquilino, o	6	tenant	inquilino	квартиросъёмщик	房客，租客
inserir	32	to insert	introducir	ввести	插入
instrumento, o	39	instrument	instrumento	инструмент	乐器
instrutor, o	R33/36	instructor	instructor	инструктор	教练员
inteligente	28	intelligent	inteligente	умный	聪明的
interdito	35	prohibited	prohibido	запрещённый	禁止的
interessante	8	interesting	interesante	интересный	有意思的，有趣的
ter interesse (em)	12	to be interested (in)	interesarse (por)	интересоваться	对……感兴趣
internacional	13	international	internacional	интернациональный	国际的
inútil	32	useless	inútil	бесполезный	无用的，没用的
Que inveja!	39	Lucky you!	¡Qué envidia!	Везёт же некоторым!	太令人羡慕了！
inverno, o	28	winter	invierno	зима	冬天
iogurte, o	17	yoghurt	yogur	йогурт	酸奶
ir	11	to go	ir	идти/ехать	到……去
irlandês	12	Irish	irlandés	ирландский, ирландец	爱尔兰人，爱尔兰语
irmã, a	9	sister	hermana	сестра	姐妹
irmão, o	9	brother	hermano	брат	兄弟
isso	4	that	eso	это	那个
isto	2	this	este	это	这个
italiano	3	Italian	italiano	итальянский, итальянец	意大利语；意大利人
já	9	already, yet	ya	уже	马上，立刻；已经
Até já!	1	See you soon!	¡Hasta ahora!	До скорого!	一会儿见！
já agora	R5/8	by the way	por cierto	кстати	对了，顺便问一下
janeiro	13	January	enero	январь	一月
janela, a	4	window	ventana	окно	窗户，窗口

PORTUGUÊS		INGLÊS	ESPANHOL	RUSSO	MANDARIM
jantar	12	to have dinner	cenar	ужинать	晚饭
jantar fora	12	to dine out	cenar fuera	ужинать в ресторане	到外面吃晚饭
jantar, o	14	dinner	cena	ужин	晚饭
japonês	3	Japanese	japonés	японский, японец	日语；日本人
jardim, o	22	garden	jardín	сад	花园
jardim zoológico, o	32	zoo	parque zoológico	зоопарк	动物园
jogar	11	to play	jugar	играть	打（牌、球等）
jogo, o	11	game	juego	игра	游戏
jogo de futebol, o	13	football match	fútbol	футбольный матч	足球比赛
jornal, o	4	newspaper	periódico	газета	报纸
jornalista, o/a	6	journalist	periodista	журналист	记者
jovem	30	young	joven	молодой	年轻的
julho	13	July	julio	июль	7月
junho	13	June	junio	июнь	6月
juntar	26	to add	añadir	добавить	集合，聚集
juntos	P3	together	juntos	вместе	一起
lá	12	there	allí	там	那儿
ao lado (de)	16	next to	al lado (de)	около	在……旁边
por todo o lado	37	everywhere	por todas partes	везде	到处
lago, o	18	lake	lago	озеро	湖
lápis, o	5	pencil	lápiz	карандаш	铅笔
laranja, a	17	orange	naranja	апельсин	橙子
largo	18	wide	ancho	широкий	宽的
lata, a	17	tin, can	lata	банка	易拉罐
lavar	27	to wash	lavar	мыть	洗，洗漱
legumes, os	15	vegetables	verduras	овощи	蔬菜
leite, o	15	milk	leche	молоко	奶，牛奶
lembrar-se (de)	15	to remember	acordarse (de)	помнить	记得
lento	21	slow	lento	медленный	慢的
ler	10	to read	leer	читать	读，念
letra, a	6	letter	letra	буква	字母
letra, a	39	lyrics	letra	слова	歌词
levantar dinheiro	25	to withdraw money	sacar/retirar dinero	снять деньги	取钱
levantar voo	40	to take off	alzar el vuelo	взлететь	起飞
levantar-se	14	to get up	levantarse	вставать	起床
levar	14	to take	llevar	взять, принести	带走
para levar	P3	take away	para llevar	с собой	带走
leve	40	light	ligero	лёгкий	轻的
Com licença!	P5	Excuse me!	¡Con permiso!	Разрешите!	劳驾! 对不起!
ligar	19	to turn/switch on	enchufar, encender	включить	打开，接通（电源）
ligar	20	to telephone	llamar	позвонить	拨打（电话）
limão, o	P1	lemon	limón	лимон	柠檬
limpar	14	to clean	limpiar	чистить	清洗，清洁
limpo	22	clean	limpio	чистый	干净的
lindo	7	beautiful	bonito	красивый	漂亮的，美丽的
língua, a	3	language	lengua	язык	语言
linha, a	P6	line	vía	путь	站台
lisboeta	26	from Lisbon	lisboeta	лиссабонец	里斯本人
livraria, a	33	bookshop	librería	книжный магазин	书店
livre	16	free	libre	свободный	自由的
livro, o	4	book	libro	книга	书
lixo, o	27	garbage	basura	мусор	垃圾
local de trabalho, o	16	workplace	lugar de trabajo	место работы	工作地
localização, a	22	location	localización	местонахождение	位置
logo	25	soon	luego, pronto	скоро	一会儿，马上
Até logo!	1	See you later!	¡Hasta pronto/ahora!	До скорого!	一会儿见!
loiro/louro	10	blond	rubio	блондин	金发的

PORTUGUÊS		INGLÊS	ESPANHOL	RUSSO	MANDARIM
loja, a	17	shop, store	tienda	магазин	商店
longe	7	far	lejos	далеко	远离……的
longo	18	long	largo	длинный	长的
ao longo de	25	along	a lo largo de	вдоль	沿着
loiça/louça, a	27	dishes	vajilla	посуда	碗盆等食具
lua, a	32	moon	luna	луна	月亮
lugar, o	16	place	lugar	место	位置；地方
lume, o	27	heat	fuego	огонь	火
luz, a	22	light	luz	свет	光，光线
mãe, a	9	mother	madre	мать	妈妈
magro	10	slim	delgado	худой	瘦的
maio	13	May	mayo	май	五月
mais	18	more	más	ещё	更多的
mais ou menos	18	more or less	más o menos	более-менее	差不多
Mais alguma coisa?	P1	Anything else?	¿Algo más?	Что-нибудь ещё?	还需要什么吗？
mal	15	badly	mal	плохо	不好
mala, a	5	handbag	bolso	сумка	坤包，女士用包
mala, a	19	bag, suitcase	maleta	чемодан	箱子；旅行箱
fazer a mala	40	to pack	hacer el equipaje	собирать чемодан	收拾行李
mal-educado	23	rude	maleducado	невоспитанный	没教养的
maluco	40	crazy	loco	сумасшедший	疯的
mandar	25	to send	enviar	посылать	寄，发
maneira, a	37	way	manera	манера, способ	方法
de manhã	14	in the morning	por la mañana	утром	上午
manteiga, a	15	butter	mantequilla	масло	黄油
em manutenção	35	under maintenance	en mantenimiento	на техническом обслуживании	在做维护，在做维修
mão, a	34	hand	mano	рука (кисть)	手
mapa, o	4	map	mapa	карта	地图
máquina de lavar loiça, a	22	dishwasher	lavavajillas	посудомоечная машина	洗碗机
máquina de lavar roupa, a	22	washing machine	lavadora	стиральная машина	洗衣机
máquina fotográfica, a	33	camera	cámara fotográfica	фотоаппарат	照相机
mar, o	12	sea	mar	море	海，大海
marcar uma consulta	34	to make an appointment	concertar una cita	назначить консультацию	预约就诊
hora marcada, a	27	agreed time	hora fijada	назначенное время	约定的时间
março	13	March	marzo	март	三月
margem, a	24	(river)bank	orilla	берег	边，岸
marido, o	9	husband	marido	муж	丈夫
marroquino	3	Moroccan	marroquí	марокканский, марокканец	摩洛哥人；摩洛哥的
mas	3	but	pero	но	但是
matar	R33/36	to kill	matar	убить	杀，杀死
mau/má	7	bad	malo/mala	плохой/плохая	不好的，坏的
máximo	R25/28	maximum	máximo	максимальный	最高的
medicamento, o	P9	medicine	medicamento	лекарство	药，药品
Medicina, a	11	Medicine	Medicina	Медицина	医学
médico, o	6	doctor	médico	врач	医生
médio	18	medium	medio	средний	中等的
em média	9	on average	promedio	в среднем	平均
ter medo	36	to be scared	tener miedo	бояться	害怕
meia de leite, a	P3	caffe latte	café con leche	чашка кофе с молоком	拿铁咖啡
meia-noite, a	13	midnight	medianoche	полночь	午夜12点
meio de transporte, o	21	means of transport	medio de transporte	средство передвижения	交通工具
meio-dia, o	13	noon	mediodía	полдень	中午12点
no meio de	36	in the middle of	en medio de	среди	在……中间
melhor	18	better	mejor	лучше	更好的
As melhoras!	34	Get well soon!	¡Que te mejores!	Выздоравливай(те)!	祝早日康复！
menos	18	less	menos	меньше	比较少的；更少的
mensagem, a	20	(text) message	mensaje	сообщение	短信，信息

PORTUGUÊS		INGLÊS		ESPANHOL	RUSSO	MANDARIM
mercado, o	17	market(place)		mercado	базар	市场
mercearia, a	17	grocer's		tienda de comestibles	бакалея	食品店
mergulhar	36	to dive		bucear, zambullirse	нырнуть	潜水
fazer mergulho	31	to go diving		practicar submarinismo	нырять	潜水
mês, o	13	month		mes	месяц	月
mesa, a	4	table		mesa	стол	桌子
mesmo, o	36	the same		mismo	тоже самое	同样的，同一个的
mesquita, a	24	mosque		mezquita	мечеть	清真寺，伊斯兰教寺院
metro, o	21	metro, underground		metro	метро	地铁
metro, um	22	metre		metro	метр	（长度单位）米
meu/minha	5	my, mine		mi, mío/mía	мой/моя	我的
mexicano	3	Mexican		mexicano	мексиканский, мексиканец	墨西哥人；墨西哥的
mil	3	thousand		mil	тысяча	千
milhão	24	million		millón	миллион	百万
milhares, os	39	thousands		miles	тысячи	几千
mina, a	36	mine		mina	шахта	矿，矿井
minuto, o	13	minute		minuto	минута	分，分钟
miradouro, o	24	viewpoint		mirador	смотровая площадка	观景台
misturar	26	to mix		mezclar	смешать	混合
miúdo, o	32	kid, boy		niño	мальчик	小孩
mobília, a	22	furniture		mobiliario	мебель	家具
mochila, a	5	backpack		mochila	рюкзак	双肩包
moderno	7	modern		moderno	современный	现代的
moeda, a	5	coin		moneda	монета	硬币
molhado	35	wet		mojado	мокрый	湿的
molho, o	26	sauce		salsa	соус	汤汁
momento, o	18	moment		momento	секундочка	片刻
montanha, a	18	mountain		montaña	гора	山，山峦
morada, a	6	address		dirección, domicilio	адрес	住址
moradia, a	22	detached house		chalé, casa unifamiliar	коттедж	独栋住房；别墅
morar	3	to live		vivir	жить	居住
moreno	10	dark-haired		moreno	смуглый	黑发的
morrer	35	to die		morir	умереть	死，去世
morte, a	35	death		muerte	смерть	死，死亡
mostrar	32	to show		mostrar	показать	出示，给看
motivo, o	P2	purpose		motivo	причина	目的，动机
móvel, o	22	piece of furniture		mueble	мебель	家具
mudar (de)	21	to change		cambiar (de)	менять	换，改
mudar-se	29	to move		cambiarse	переселиться	搬家，乔迁
muito	3	very (much)		mucho	много	很，非常；很多的
mulher, a	9	wife		mujer	жена	妻子
mulher, a	9	woman		mujer	женщина	女人
multa, a	16	fine		multa	штраф	罚款，罚金
multibanco, o	25	ATM		cajero	банкомат	自动取款机
mundial	13	world(wide)		mundial	мировой	世界的
mundo, o	18	world		mundo	мир	世界
museu, o	24	museum		museo	музей	博物馆
música, a	11	music		música	музыка	音乐
nacionalidade, a	6	nationality		nacionalidad	гражданство	国籍
nada	10	nothing		nada	ничего, ничто	（用于否定句）任何东西
De nada!	15	Don´t mention it!		¡De nada!	Не за что!	没事! 不用谢!
Nada disso!	22	Not at all!		¡Nada de eso!	Ничего подобного!	根本不是这么回事!
nadar	19	to swim		nadar	плавать	游泳
namorado, o	9	boyfriend		novio	(мой) друг/парень	男朋友
namorar	31	to date		salir con	встречаться	恋爱
não	2	no, not		no	нет	不，不是，没有
nariz, o	34	nose		nariz	нос	鼻子

PORTUGUÊS		INGLÊS	ESPANHOL	RUSSO	MANDARIM
nascer	39	to be born	nacer	родиться	出生
nascimento, o	13	birth	nacimiento	рождение	出生
Natal, o	13	Christmas	Navidad	Рождество	圣诞节
natas, as	16	cream	crema	сливки	奶油
água natural	P3	room temperature water	agua del tiempo	вода комнатной температуры	常温水
natureza, a	11	nature	naturaleza	природа	自然，大自然
negócio, o	29	business	negocio	бизнес	生意，买卖
nem	11	not even, nor	ni	ни	也不，并不
Nem pensar!	30	No way!	¡Nunca!	Ни за что!	甭想！绝不可能！
nenhum	22	no, any, none	ninguno	никакой	没有一个
neto, o	9	grandson	nieto	внук	孙子
nevar	28	to snow	nevar	снегопад	下雪
neve, a	28	snow	nieve	снег	雪
nevoeiro, o	28	fog	niebla	туман	雾
ninguém	19	nobody	nadie	никто	没有任何人
noite, a	P2	night	noche	ночь	夜晚
à noite	8	at night	por la noche	ночью	晚上
Boa noite!	1	Good evening!	¡Buenas noches!	Добрый вечер!	晚上好！
nome, o	6	name	nombre	имя	名字
nono	6	ninth	noveno	девятый	第九
normal	25	normal	normal	нормальный, обычный	正常的
normalmente	8	usually	normalmente	обычно	通常，一般
norte, o	28	north	norte	север	北，北边
nós	2	we	nosotros	мы	我们
nosso	5	our(s)	nuestro	наш	我们的
nota, a	5	(bank)note	billete	банкнота	纸币
notícia, a	19	news	noticia	новость	消息
nove	1	nine	nueve	девять	9
novecentos	3	nine hundred	novecientos	девятьсот	900
novembro	13	November	noviembre	ноябрь	11月
noventa	2	ninety	noventa	девяносто	90
novo	7	new, young	nuevo, joven	новый, молодой	新的；年轻的
número, o	6	number	número	номер	号码
nunca	15	never	nunca	никогда	从不，永不
nuvem, a	28	cloud	nube	туча, облако	云
Estamos em obras.	35	Work in progress.	Estamos en obras.	На ремонте.	在装修
Obrigado!	1	Thank you!	¡Gracias!	Спасибо!	谢谢！
obviamente	37	obviously	obviamente	очевидно	显然
ocasião, a	32	occasion	ocasión	случай	场合
oceanário, o	24	oceanarium	oceanario/acuario	океанариум	海洋馆
oceano, o	18	ocean	océano	океан	海洋
óculos, os	5	glasses	gafas	очки	眼镜
óculos de sol, os	5	sunglasses	gafas de sol	солнечные очки	太阳镜
ocupado	16	taken, busy	ocupado	занят	忙的；占用的
oeste, o	28	west	oeste	запад	西，西边
oferecer	32	to offer	regalar	подарить	送，赠送
oferta, a	32	gift	regalo	подарок	赠品，礼物
oitavo	6	eighth	octavo	восьмой	第八
oitenta	2	eighty	ochenta	восемьдесят	80
oito	1	eight	ocho	восемь	8
oitocentos	3	eight hundred	ochocientos	восемьсот	800
Olá!	1	Hi!	¡Hola!	Привет!	嘿！你好！
olhar	20	to look	mirar	смотреть	看
olho, o	10	eye	ojo	глаз	眼睛
ombro, o	34	shoulder	hombro	плечо	肩膀
onde	2	where	donde	где	哪儿，哪里
ontem	31	yesterday	ayer	вчера	昨天

PORTUGUÊS		INGLÊS	ESPANHOL	RUSSO	MANDARIM
onze	1	eleven	once	одиннадцать	11
orelha, a	34	ear	oreja	ухо	耳朵
organizado	28	organised	organizado	дисциплинированный	有条理的
Ótimo!	20	Great!	¡Excelente!/¡Genial!	Отлично!	太好了！
ou	P1	or	o	или	或者
outono, o	28	autumn	otoño	осень	秋天
outro	21	(an)other	otro	другой	另一个的
outubro	13	October	octubre	октябрь	10月
ouvido, o	34	ear (inside)	oído	ухо	听觉
ouvir	20	to hear, to listen	oír	слушать	听，听见
ovo, o	15	egg	huevo	яйцо	鸡蛋
pacote, o	17	pack, packet	paquete, cartón	пачка	包，包裹
padaria, a	33	baker's	panadería	булочная	面包店
pagar	12	to pay	pagar	платить	支付；付钱
página, a	35	page	página	страница	页，页面
Pai Natal, o	31	Santa Claus	Papá Noel	Дед Мороз	圣诞老人
pai, o	9	father	padre	отец	父亲
pais, os	9	parents	padres	родители	父母
país, o	2	country	país	страна	国家
paisagem, a	37	scenery, landscape	paisaje	пейзаж	风景
palácio, o	24	palace	palacio	дворец	宫殿
palco, o	39	stage	escenario	сцена	舞台
pão, o	15	bread	pan	хлеб	面包
Papa, o	26	Pope	Papa	папа	教皇
papagaio, o	32	parrot	loro	попугай	鹦鹉
papelaria, a	33	stationer's	papelería	магазин канцелярских товаров	文具店
para	14	to, for	para	для, в	向，往；为了
Parabéns!	13	Happy birthday!	¡Felicidades!	С днём рождения!	祝你生日快乐！
paragem, a	21	(bus) stop	parada	остановка	车站
parar	25	to stop	parar	остановиться	停止
parecer	33	to seem	parecer	казаться	好像，似乎
parede, a	4	wall	pared	стена	墙壁
parque, o	24	park	parque	парк	公园
parque de estacionamento, o	12	car park	aparcamiento	парковка	停车场
parque nacional, o	20	national park	parque nacional	национальный парк	国家公园
parte, a	7	part	parte	часть	部分
partida, a	38	departure	salida	отправление, вылет	出发；（飞机）起飞
partir	20	to leave, to go	partir	отправляться	出发（去某地）
partir a perna	31	to break a leg	romper la pierna	сломать ногу	（腿等）断，折
Páscoa, a	13	Easter	Semana Santa	Пасха	复活节
passageiro, o	40	passenger	pasajero	пассажир	旅客
passaporte, o	5	passport	pasaporte	паспорт	护照
passar tempo	11	to spend time	pasar tiempo	проводить	度过、消磨（时光）
passar por	21	to go through, to cross	pasar por	пройти/проехать мимо	经过
passar a ferro	27	to iron	planchar	гладить	熨衣服
passar (num exame)	31	to pass (an exam)	aprobar (un examen)	сдать (экзамен)	通过
passear	23	to walk, to stroll	pasear	гулять	散步；闲逛
passeio, o	12	pavement	acera	тротуар	人行道
passeio, o	36	walk	paseo	прогулка	逛
pasta, a	5	briefcase	maletín	папка	文件夹，公文包
pastel de nata, o	P3	custard tart	pastel de crema	корзиночки с заварным	蛋挞
pastelaria, a	16	pastry shop	pastelería	кондитерская	糕点店
pavilhão, o	25	pavilion	pabellón	павильон	馆
pé, o	34	foot	pie	нога (ступня)	脚
a pé	21	on foot	a pie	пешком	走着去
peça, a	30	play	obra	пьеса	剧目
peça, a	P10	piece	bulto, pieza	место	一件（行李）

PORTUGUÊS		INGLÊS		ESPANHOL		RUSSO		MANDARIM
pedaço, um	32	a bit		pedazo		кусок		片，块
pedir	25	to ask for, to order		pedir		просить		要求
pedir emprestado	32	to borrow		pedir prestado		брать взаймы		（向别人）借
pegar	38	to grab, to pick up		coger, agarrar		взять		拿起
peito, o	34	chest		pecho		грудь		胸，胸部
peixe, o	15	fish		pescado, pez		рыба		鱼
pelo menos	36	at least		por lo menos		по крайней мере		至少
Que pena!	9	What a pity!		¡Qué pena!		Как жаль!		真可惜！
pensar	21	to think		pensar		думать		想；以为
pequeno	7	small		pequeño		маленький		小的
pequeno-almoço, o	14	breakfast		desayuno		завтрак		早餐
perceber	23	to understand		entender		понимать		明白
Não percebo!	4	I don't understand!		¡No entiendo!		Не понимаю!		不明白！
perder	21	to lose		perder		потерять		失去，遗失
perder (o comboio)	21	to miss		perder (el tren)		опоздать (на поезд)		错过，没赶上（火车）
estar perdido	25	to be lost		estar perdido		потеряться		迷路了
perfeito	18	perfect		perfecto		идеальный		完美的
perfume, o	32	perfume		perfume		духи		香水
pergunta, a	8	question		pregunta		вопрос		问题，提问
perguntar	38	to ask about		preguntar		спрашивать		问
perigoso	22	dangerous		peligroso		опасный		危险的
perna, a	31	leg		pierna		нога		腿
perto (de)	7	close (to), near		cerca (de)		около		离……近的
pesado	34	heavy		pesado		тяжёлый		沉的，重的
pesar	40	to weigh		pesar		взвесить		称重
pescoço, o	34	neck		cuello		шея		脖子
pessoa, a	7	person		persona		человек		人
pessoal, o	30	folks, guys		colegas, gente, pandilla		компания		各位，大家
pessoalmente	39	personally		personalmente		лично		亲自
piano, o	19	piano		piano		фортепиано		钢琴
picante	P4	spicy		picante		острый (перец)		辣的
pilha, a	33	battery		batería		батарейка		电池
pintar	19	to paint		pintar		красить		画，涂画
pintar (o cabelo)	37	to dye		teñir		красить (волосы)		染
pintor, o	14	painter		pintor		художник		画家
piranha, a	36	piranha		piraña		пиранья		食人鱼
piscina, a	36	swimming pool		piscina		бассейн		游泳池
Piso molhado!	35	Wet floor!		¡Suelo mojado!		Мокрый пол!		地面全弄湿了！
planear	23	to plan		planear		планировать		规划
plano, o	21	plan		plan		план		计划
planta, a	40	plant		planta		растение, цветок		植物
plástico	23	plastic		plástico		пластиковый		塑料
pó, o	27	dust		polvo		пыль		灰尘
pobre	7	poor		pobre		бедный		贫穷的
poder	16	can, may, to be able		poder		мочь		可以，能够
Pois (é)!	5	Right!		¡(Pues) claro!		Точно!		没错！确实！
Pois não?	12	Isn't it?		¿Verdad?		Не так ли?		不是吗？
polaco	3	Polish		polaco		польский, поляк		波兰人；波兰语
política, a	11	politics		política		политика		政治
político	39	political		político		политический		政治的
poluição, a	37	pollution		contaminación		загрязнение		污染
polvo, o	16	octopus		pulpo		осьминог		章鱼
ponte, a	24	bridge		puente		мост		桥
popular	12	common		popular		популярный		常见的
pôr	16	to put		poner		положить/класть		放，摆
pôr a mesa	23	to lay the table		poner la mesa		накрыть на стол		摆放桌布、餐具等
por dia	8	a day		a la día		в день		每天

PORTUGUÊS		INGLÊS		ESPANHOL	RUSSO	MANDARIM
por semana	8	a week		a la semana	в неделю	每周
por isso	26	that's why		por eso	поэтому	所以，因此
(carne de) porco	17	pork		(carne de) cerdo	свинина	猪肉
porque	7	because		porque	потому что	因为
Porquê?	7	Why?		¿Por qué?	Почему?	为什么？
porta, a	4	door		puerta	дверь	门
português	3	Portuguese		portugués	португальский, португалец	葡萄牙语；葡萄牙人
possível	36	possible		posible	возможный	可能的
postal, o	24	postcard		postal	открытка	明信片
pouco	8	little, few		poco	мало	少的
um pouco (de)	3	a little		un poco (de)	немного	一点儿
poupar	19	to save		ahorrar	экономить	节省
praça, a	24	square		plaza	площадь	广场
praia, a	11	beach		playa	пляж	海滩，沙滩
prático	32	practical		práctico	практичный	实际的，实用的
prato, o	16	dish		plato	блюдо	(一道）菜
prato, o	23	plate		plato	тарелка	盘子
Muito prazer!	1	Nice to meet you!		¡Encantado!	Очень приятно!	很高兴认识您/你！
precisamente	R13/16	precisely		precisamente	точно	刚好，恰恰
precisar (de)	19	to need		necesitar	требоваться	需要
É preciso...	36	It is necessary to...		Es necesario...	Нужно...	需要
preço, o	18	price		precio	цена	价格
prédio, o	6	(apartment) building		edificio	здание	楼房
preencher	25	to fill in		rellenar	заполнить	填写
preferido	11	favourite		preferido	предпочтительный	偏爱的，偏好的
preferir	18	to prefer		preferir	предпочитать	更喜欢，偏好
preguiçoso	28	lazy		perezoso	ленивый	懒的，懒惰的
prenda, a	32	gift		regalo	подарок	礼物
preocupado	38	worried		preocupado	обеспокоенный	担心的
preocupar-se	23	to worry		preocuparse	беспокоиться	担心
preparar	23	to prepare		preparar	подготовить	准备
presente, o	32	gift		regalo	подарок	礼物
presidente, o	AC	president		presidente	президент	主席，总统
ter/estar com pressa	15	to be in a hurry		tener prisa	торопиться	有急事
preto	4	black		negro	чёрный	黑的，黑色的
previsão (de tempo), a	R25/28	weather forecast		pronóstico (del tiempo)	прогноз (погоды)	预测；（天气）预报
primavera, a	28	spring		primavera	весна	春天
primeiro	6	first		primero	первый	第一
Primeiro, ...	26	First of all, ...		Primero...	Сначала...	首先，……
primo, o	9	cousin		primo	двоюродный брат	堂兄弟，表兄弟
principalmente	37	mainly		principalmente	главным образом	主要
problema, o	15	problem		problema	проблема	问题
Não há problema!	23	No problem!		¡Sin problema!	Без проблем!	没问题！
procurar	12	to look for		buscar	искать	寻找
produto de beleza, o	32	cosmetics		producto de belleza	косметические товары	美容产品
professor, o	6	teacher		profesor	учитель	老师
profissão, a	6	job		profesión	профессия	职业
programa, o	8	programme, show		programa	программа	节目
proibido	36	not permitted		prohibido	запрещено	禁止的
estar pronto	8	to be ready		estar listo	быть готовым	准备好的
Pronto!	23	Good!		¡Bueno!	Ну да! Хорошо!	好了！
É o próprio.	P5	Speaking.		Soy yo.	Это я.	我就是。
provar	26	to taste, to try		probar	пробовать	品尝，试吃
provavelmente	27	probably		probablemente	вероятно	可能
próximo	21	next, nearest		siguiente	следующий	下一个的；近的
Até à próxima!	1	See you next time!		¡Hasta luego!	До встречи!	下次见！
psicólogo, o	28	psychologist		psicólogo	психолог	心理学家

PORTUGUÊS		INGLÊS		ESPANHOL	RUSSO	MANDARIM
Puxe	35	Pull		Tire	К себе	（门上提示语）拉
quadrado	*18*	square		cuadrado	в квадрате	平方的
quadro, o	4	picture, painting		cuadro	картина	画，绘画
quadro, o	4	board		pizarra	доска	黑板或白板
qual	6	which, what		cuál/cual	какой	哪个
quando	13	when		cuándo/cuando	когда	什么时候
quanto	6	how much/many		cuánto/cuanto	сколько	多少
Quanto é?	P3	How much is it?		¿Cuánto es?	Сколько стоит?	多少钱？
quarenta	2	forty		cuarenta	сорок	40
quarta-feira, a	1	Wednesday		miércoles	среда	星期三
quarto	6	fourth		cuarto	четвёртый	第四
quarto de hora, o	13	quarter of an hour		un cuarto de hora	четверть часа	一刻钟
quarto, o	7	(bed)room		habitación	комната	卧室，房间
quase	15	almost		casi	почти	几乎
quatro	1	four		cuatro	четыре	4
quatrocentos	3	four hundred		cuatrocientos	четыреста	400
(o) que	3/4	what		qué	что	（疑问词）什么
que	8	that, which, who		que	что	连接词
queijo, o	15	cheese		queso	сыр	奶酪
quem	1	who		quién/quien	кто	谁
quente	16	warm		caliente	горячий	热的
querer	16	to want		querer	хотеть	想，愿意
Queria...	17	I'd like...		Quería...	Хотел(а) бы...	我想……
quer dizer	*36*	I mean		es decir	то есть	就是说
querido	24	sweet, dear		querido	милый, дорогой	亲爱的
quilo, o	17	kilogram		kilo	килограмм	公斤
quilómetro, o	18	kilometre		kilómetro	километр	公里
quinhentos	3	five hundred		quinientos	пятьсот	500
quinta-feira, a	1	Thursday		jueves	четверг	星期四
quinto	6	fifth		quinto	пятый	第五
quinze	1	fifteen		quince	пятнадцать	15
quiosque, o	33	newsstand		quiosco	киоск	售货亭，售报亭
rádio, o	37	radio		radio	радио	收音机
rapariga, a	9	girl		chica	девушка	姑娘，女孩
rapaz, o	9	boy		chico	парень	小伙子，男孩
rapidamente	38	quickly		rápidamente	быстро	快速地，迅速地
rápido	21	quick, fast		rápido	быстрый	快的
raramente	15	rarely		raramente	редко	难得地，少有地
receber	20	to receive, to get		recibir	получать	收到
receção, a	P7	reception		recepción	стойка регистрации	接待处
receita (culinária), a	26	recipe		receta (culinaria)	рецепт (кулинарный)	菜谱
receita (médica), a	P9	prescription		prescripción (doctor)	рецепт (медицинский)	药方
recomendar	P4	recommend		recomendar	посоветовать	推荐
rede, a	P5	coverage, network		red	связь	网络
refeição, a	15	meal		comida	приём пищи	餐，一顿饭
reformado	*AC*	retired		jubilado	пенсионер	退休的
reformar-se	29	to retire		jubilarse	выйти на пенсию	退休
regar	40	to water		regar	поливать	浇灌
regressar	39	to return		volver	возвращаться	返回
regresso, o	P6	return		regreso	возвращение	返回
regularmente	15	regularly		regularmente	регулярно	定期地
relatório, o	*30*	report		informe	отчёт	报告
relógio, o	4	watch, clock		reloj	часы	手表，钟表
de repente	38	suddenly		de repente	вдруг	突然
repetir	4	to repeat		repetir	повторить	重复
rés do chão, o	6	ground floor		planta baja	цокольный этаж	地面一层
reserva, a	P4	reservation, booking		reserva	бронь, заказ	预定

PORTUGUÊS		INGLÊS	ESPANHOL	RUSSO	MANDARIM
Reservado a residentes	35	Residents only	Reservado a residentes	Только для резидентов	住户专用
responder	36	to answer	contestar	ответить	回答，回复
resposta, a	31	answer	respuesta	ответ	回答，答复
restaurante, o	7	restaurant	restaurante	ресторан	餐馆，酒店
revista, a	11	magazine	revista	журнал	杂志
rico	7	rich	rico	богатый	富有的
rio, o	18	river	río	река	河流
rir	38	to laugh	reír	смеяться	笑
romance, o	32	novel	novela	роман	长篇小说
romântico	28	romantic	romántico	романтичный	浪漫的
rotunda, a	25	roundabout	rotonda	кольцо	（交通）环岛
roubar	31	to steal, to rob	robar	воровать, украсть	偷，盗
roupa, a	19	clothes	ropa	одежда	衣服
rua, a	5	street	calle	улица	街道
ruivo	10	red-haired	pelirrojo	рыжий	橘红色的
russo	3	Russian	ruso	русский	俄罗斯人；俄语
sábado, o	1	Saturday	sábado	суббота	星期六
saber	16	to know	saber	знать	知道
Não sei.	1	I don't know.	No (lo) sé.	Не знаю.	我不知道。
saboroso	P4	tasty	sabroso	вкусный	美味的，好吃的
saco, o	17	bag	bolsa	пакет	袋子
saia, a	33	skirt	falda	юбка	裙子
saída de emergência, a	35	emergency exit	salida de emergencia	аварийный выход	紧急出口
sair	22	to leave, to go out	salir	выходить	出去
sal, o	34	salt	sal	соль	盐
sala de aula, a	4	classroom	clase	класс	教室
sala de conferência, a	36	conference room	sala de conferencias	конференц-зал	会议厅
sala de espera, a	P6	waiting room	sala de espera	зал ожидания	候车室
sala de estar, a	22	living room	sala de estar	гостиная	客厅，起居室
salada, a	15	salad	ensalada	салат	沙拉
saldos, os	33	sales	rebajas	скидки	大减价
salgado	P4	salty	salado	солёный	咸的
salmão, o	16	salmon	salmón	лосось	三文鱼，大马哈鱼
salsicha, a	17	sausage	salchicha	сосиска	腊肠
sandes, a	17	sandwich	bocadillo	бутерброд	三明治
sapataria, a	33	shoe shop	zapatería	обувной магазин	鞋店
sapato, o	27	shoe	zapato	ботинок	鞋
sardinha, a	16	sardine	sardina	сардина	沙丁鱼
sardinhada, a	23	sardine barbecue	sardinada	сардины на гриле	烤沙丁鱼
satisfeito	38	glad, pleased	satisfecho	удовлетворённый	满意的
ter saudades	24	to miss	echar de menos	скучать	思念，想念
saudável	15	healthy	saludable	здоровый	健康的
saúde, a	15	health	salud	здоровье	健康
secção, a	R21/24	section	sección	секция	块，区，片
seco	22	dry	seco	сухой	干的
secretária, a	4	desk	escritorio	письменный стол	写字台，书桌
secretária, a	6	secretary	secretaria	секретарь	女秘书
século, o	13	century	siglo	век	世纪
estar com/ter sede	10	to be thirsty	tener sed	хотеть пить	感觉口渴
seguinte	21	next, following	siguiente	следующий	紧接的，下面的
seguir (em frente)	25	to go (straight ahead)	seguir (adelante)	идти/ехать (прямо)	继续（往前）
A seguir, ...	26	Next, ...	A continuación...	Потом...	接下来，……
segunda-feira, a	1	Monday	lunes	понедельник	星期一
segundo	6	second	segundo	второй	第二
segundo, o	13	second	segundo	секунда	（时间）秒
seguro	22	safe	seguro	неопасный	安全的
seis	1	six	seis	шесть	6

PORTUGUÊS		INGLÊS	ESPANHOL	RUSSO	MANDARIM
seiscentos	3	six hundred	seiscientos	шестьсот	600
selo, o	25	stamp	sello	марка	邮票
sem	P1	without	sin	без	没有，不包括
semáforo, o	25	traffic lights	semáforo	светофор	交通灯，红绿灯
semana, a	8	week	semana	неделя	星期，周
semiequipado	AC	partly equipped	semiequipado	частично меблированная	半配备好设备的
sempre	14	always	siempre	всегда	总是
senha, a	19	(queue) ticket	número	талон	(排队) 号
senhor, o	1	Sir, Mr.	señor	господин	先生
senhora, a	1	Madam, Ms.	señora	госпожа	女士
sentar-se	16	to sit down	sentarse	сесть, садиться	坐下
estar sentado	37	to be sitting	estar sentado	сидеть	坐着
sentir-se	26	to feel	sentirse	чувствовать	感觉
conta separada, a	P3	separate bills	la cuenta separada	отдельный счёт	分开结账
ser	1	to be	ser	быть	是
a sério	26	seriously	en serio	серьёзно	严肃地，认真地
fora de serviço	35	out of order	fuera de servicio	не работает	不在服务区
servir	26	to serve	servir	подавать, обслуживать	服务
sessenta	2	sixty	sesenta	шестьдесят	60
sete	1	seven	siete	семь	7
setecentos	3	seven hundred	setecientos	семьсот	700
setembro	13	September	septiembre	сентябрь	9月
setenta	2	seventy	setenta	семьдесят	70
sétimo	6	seventh	séptimo	седьмой	第七
seu/sua	5	your(s)	su, suyo/suya	свой/своя	你的，您的
sexta-feira, a	1	Friday	viernes	пятница	周五
sexto	6	sixth	sexto	шестой	第六
O que significa?	4	What does it mean?	¿Qué significa?	Что это значит?	什么意思？
simpático	7	nice, friendly	simpático	приятный (в обхождении)	亲切的，和善的
simples	23	plain, simple	sencillo	простой	简单的
simplesmente	29	simply	simplemente	просто	仅仅，只是；干脆
situação, a	39	situation	situación	ситуация	形势
só	3	only	solo	только	只有，只是，仅
sobre	15	about, on	sobre	о	关于
sobremesa, a	16	dessert	postre	десерт	饭后甜点
sobretudo	32	most of all	sobre todo	особенно	特别，尤其
sociável	28	sociable	sociable	общительный	易于交往的
sofá, o	22	couch	sofá	диван	沙发
sogra, a	9	mother-in-law	suegra	тёща, свекровь	岳母，婆婆
sol, o	12	sun	sol	солнце	太阳
estar sol	28	to be sunny	hacer sol	солнечно	天晴
solteiro	6	single	soltero	холостой	单身的
solução, a	38	solution	solución	решение	答案
estar com/ter sono	10	to be sleepy	estar con/tener sueño	хотеться спать	感觉困
som, o	10	sound	sonido	звук	声音
sopa, a	15	soup	sopa	суп	汤
sorrir	38	to smile	sonreír	улыбаться	微笑
Boa sorte!	21	Good luck!	¡(Buena) suerte!	Удачи!	祝好运！
sozinho	8	alone, by oneself	solo (sin compañía)	один	独自一人
sportinguista, o	11	Sporting fan	sportinguista	спортингист	里斯本竞技队球迷
stresse, o	15	stress	estrés	стресс	压力
subir (as escadas)	22	to go up (the stairs)	subir (las escaleras)	подниматься (по лестнице)	往上走
sudeste, o	R25/28	southeast	sudeste	юго-восток	东南部
sueco	3	Swedish	sueco	шведский, швед	瑞典人；瑞典语
sujo	22	dirty	sucio	грязный	脏的，肮脏的
sul, o	28	south	sur	юг	南，南边
sumo, o	P1	juice	zumo	сок	果汁

PORTUGUÊS		INGLÊS	ESPANHOL	RUSSO	MANDARIM
supermercado, o	17	supermarket	supermercado	супермаркет	超市
Que tal... ?	23	How about... ?	¿Qué tal... ?	Как насчёт... ?	如何？怎么样？
talento, o	39	talent	talento	талант	天赋
talheres, os	23	cutlery	cubiertos (los)	столовые приборы	一套餐具（指刀、叉、勺）
talho, o	33	butcher's	carnicería	мясной магазин	肉铺，肉店
talvez	21	maybe, perhaps	quizás	может быть	也许，可能
tamanho, o	P8	size	tamaño	размер	大小，规模
também	3	also, too	también	тоже	也
tanto	20	so much/many	tanto	столько	这么多，如此多
Tanto faz!	23	It doesn't matter.	¡Da igual!	Всё равно!	都行！
Há tanto tempo!	P5	It's been ages!	¡Hace tanto tiempo!	Сколько лет, сколько зим!	好久了！
Tão (bonito)!	20	So (beautiful)!	¡Tan (guapo)!	Такой (красивый)!	太漂亮了！
tão ... como ...	18	as ... as ...	tan ... como ...	такой ... как ...	如......一样
tapar	26	to cover	tapar	закрыть	遮，盖
tapete, o	22	carpet	alfombrilla, alfombra	ковёр	地毯
tarde	14	late	tarde	день	晚
à tarde	14	in the afternoon	por la tarde	днём	下午
Boa tarde!	1	Good afternoon!	¡Buenas tardes!	Добрый день!	下午好！
tarefas domésticas, as	14	housework	tareas domésticas	домашние дела	家务
táxi, o	21	taxi	taxi	такси	出租车
teatro, o	8	theatre	teatro	театр	话剧
teimoso	28	stubborn	terco	упрямый	固执的
teleférico, o	26	cable car	teleférico	канатная дорога	电动缆车
telefonar	20	to telephone	telefonear	позвонить	打电话
telefone, o	6	telephone	teléfono	телефон	电话
telemóvel, o	5	mobile phone	móvil	сотовый телефон	手机，移动电话
televisão, a	10	TV	televisión	телевизор	电视
temperatura, a	18	temperature	temperatura	температура	温度；气温
tempo, o	P2	time	tiempo	время	时间
tempo, o	20	weather	tiempo	погода	天气
ténis, o	11	tennis	tenis	теннис	网球
ténis, os	33	sneakers	tenis (calzado)	кеды, кроссовки	球鞋
tentar	38	to try	intentar	пытаться	尝试，试图
ter	5	to have	tener	иметь	有
ter de/que	19	to have to	tener que	нужно	不得不，必须
terça-feira, a	1	Tuesday	martes	вторник	周二
terceiro	6	third	tercero	третий	第三
terminal, o	R37/40	terminal	terminal	терминал	航站楼
terminar	29	to finish	terminar	заканчивать	结束
terra, a	36	ground	tierra	земля	地，土
terraço, o	22	terrace	terraza	терраса	平台，露台
teu/tua	5	your(s)	tu, tuyo/tuya	твой/твоя	你的
tia, a	9	aunt	tía	тётя	姨妈，姑姑，阿姨
tio, o	9	uncle	tío	дядя	叔叔，伯伯，舅舅
tímido	28	shy	tímido	скромный	害羞的
vinho tinto, o	15	red wine	vino tinto	красное вино	红酒
típico	12	typical	típico	типичный	典型的
tipo, o	32	type, kind	tipo	тип	类型，种类
tirar	19	to take out/off	quitar	достать, снимать	取出，脱去（什么东西）
tirar a carta	20	to get a (driving) licence	sacar el carné	сдать на права	考驾照
tirar fotos	19	to take photos	sacar/tomar fotos	фотографировать	拍照片
título, o	35	title	título	название	题目
tocar	20	to ring	sonar	звонить	响
tocar (guitarra)	19	to play (the guitar)	tocar (guitarra)	играть (на гитаре)	弹（吉他），演奏（乐）
todo	15	every, all	todo	всё	全部，所有
todos	12	everybody	todos	все	所有人
tomar	12	to take	tomar	принимать, брать	拿，取

PORTUGUÊS		INGLÊS	ESPANHOL	RUSSO	MANDARIM
tomar café	12	to have coffee	tomar un café	пить кофе	喝咖啡
tomate, o	17	tomato	tomate	помидор	西红柿
torrada, a	17	toast	tostada	гренки	烤面包片
torre, a	24	tower	torre	башня	塔；塔楼
tosse, a	34	cough	tos	кашель	咳嗽
tosta (mista), a	P3	ham and cheese melt	sándwich (mixto)	тост (с ветчиной и сыром)	芝士火腿三文治
trabalhador	28	hard-working	trabajador	трудолюбивый	勤劳的
trabalhar	8	to work	trabajar	работать	劳动，工作
trabalho, o	8	work	trabajo	работа	劳动，工作
tranquilo	22	calm	tranquilo	спокойный	静的，安静的
transferência, a	25	transfer	transferencia	перевод	转账
trânsito, o	21	traffic	tráfico	дорожное движение	交通
transporte, o	22	transport	transporte	транспорт	运输
trazer	P4	to bring	traer	принести	带来
três	1	three	tres	три	3
treze	1	thirteen	trece	тринадцать	13
trezentos	3	three hundred	trescientos	триста	300
trinta	2	thirty	treinta	тридцать	30
triste	38	sad	triste	грустный	忧伤的，伤心的
trocar	25	to (ex)change	cambiar	обменять	兑换钱
troco, o	P3	change	cambio	сдача	零钱
t-shirt, a	33	t-shirt	camiseta, sudadera	футболка	T恤衫
tu	1	you	tú	ты	你
tudo	19	everything, all	todo	всё	一切
Tudo bem?	1	What's up?	¿Qué tal?	Всё хорошо?	你好吗？
turco	17	Turkish	turco	турецкий, турок	土耳其人；土耳其的
turismo, o	21	tourism	turismo	туризм	旅游
turista, o/a	18	tourist	turista	турист	游客
turma, a	9	class	grupo	класс	班级
ucraniano	3	Ukrainian	ucraniano	украинский, украинец	乌克兰人；乌克兰语
último	6	last	último	последний	最后的
um	1	one	uno	один	1
União Europeia, a	AC	European Union	Unión Europea	Европейский союз	欧盟
único	21	the only	único	единственный	唯一的
universidade, a	8	university	universidad	университет	大学
urso, o	32	bear	oso	медведь	熊
usar	8	to use	usar	использовать	用，使用
útil	32	useful	útil	полезный	有用的
utilizador, o	40	user	usuario	пользователь	使用者
vaca, a	37	cow	vaca	корова	奶牛；母牛
varanda, a	22	balcony	balcón, terraza	балкон	阳台
vários	18	many, several	varios	несколько	好几个，好多个
vazio	16	empty	vacío	пустой	空的
vegetariano, o	15	vegetarian	vegetariano	вегетарианец	素食者
velho	7	old	viejo, mayor	старый	老的
vender	22	to sell	vender	продавать	卖，出售
vento, o	28	wind	viento	ветер	风
estar/fazer vento	28	to be windy	hacer viento	ветренно	有风，刮风
ver	10	to see	ver	видеть, смотреть	看，看见
verão, o	28	summer	verano	лето	夏天
verdade, a	18	truth	verdad	правда	事实，真相；真理
verde	4	green	verde	зелёный	绿色的
vermelho	4	red	rojo	красный	红色的
vestido, o	33	dress	vestido	платье	连衣裙
vestir	33	to put on, to wear	vestir	надевать	穿（衣服）
vestir-se	33	to get dressed	vestirse	одеваться	穿着
estar vestido (com)	33	to be wearing	tengo puesto	быть одетым (в)	穿着……衣服

PORTUGUÊS		INGLÊS	ESPANHOL	RUSSO	MANDARIM
vez, a	P2	time	vez	раз	次
às vezes	8	sometimes	a veces	иногда	有时
viagem, a	14	journey, trip	viaje	поездка	旅行
Boa viagem!	21	Have a nice trip!	¡Buen viaje!	Приятного пути!	旅途愉快！旅行愉快！
viajar	8	to travel	viajar	путешествовать	旅行，旅游
vida, a	15	life	vida	жизнь	生活
vídeo, o	36	video	vídeo	видео	录像
vinho, o	P1	wine	vino, el	вино	葡萄酒
vinte	1	twenty	veinte	двадцать	20
vir	21	to come	venir	приходить, приезжать	来到
virar	25	to turn	girar	поворачивать	转向
visita, a	P2	visit	visita	посещение	参观，访问
visitar	14	to visit	visitar	посещать	参观，访问
vista, a	22	view	vista	вид	景色
viver	15	to live	vivir	жить	生活
vizinho, o	23	neighbour	vecino	сосед	邻居
você	1	you	usted	вы	你，您
vocês	2	you	vosotros, ustedes	вы	你们
por volta de	14	around	sobre	около	在……点左右
olhar em volta	29	to look around	mirar alrededor	оглядеться	朝四周看
voltar	14	to come back	volver	вернуться	回到
voltar a ligar	P5	to call back	volver a llamar	позвонить ещё раз	再次拨打
voo, o	13	flight	vuelo	рейс	飞行；航班
vosso	5	your(s)	su, suyo, vuestro	ваш	你们的
voz, a	39	voice	voz	голос	声音；噪音
xadrez, o	19	chess	ajedrez	шахматы	国际象棋
xarope, o	P9	syrup	jarabe	сироп	糖浆，咳嗽糖浆
zangado	38	angry	enfadado	злой	生气的，发火的
zero	1	zero	cero	ноль	零
zona, a	40	zone	zona	зона	地区，区域

Nomes Geográficos:

PORTUGUÊS		INGLÊS	ESPANHOL	RUSSO	MANDARIM
África	18	Africa	África	Африка	非洲
África do Sul, a	20	South Africa	Sudáfrica	Южная Африка	南非
Alemanha, a	2	Germany	Alemania	Германия	德国
América Latina, a	39	Latin America	Latinoamérica	Латинская Америка	拉丁美洲
Amesterdão	39	Amsterdam	Ámsterdam	Амстердам	阿姆斯特丹
Angola	2	Angola	Angola	Ангола	安哥拉
Argentina, a	39	Argentina	Argentina	Аргентина	阿根廷
Ásia, a	18	Asia	Asia	Азия	亚洲
Atenas	2	Athens	Atenas	Афины	雅典
Austrália, a	AC	Australia	Australia	Австралия	澳大利亚
Brasil, o	2	Brazil	Brasil	Бразилия	巴西
Budapeste	AC	Budapest	Budapest	Будапешт	布达佩斯
Cairo, o	28	Cairo	El Cairo	Каир	开罗
Canadá, o	4	Canada	Canadá	Канада	加拿大
Cantão	2	Guangzhou	Cantón	Гуанчжоу	广州
China, a	2	China	China	Китай	中国
Cidade do Cabo, a	AC	Cape Town	Ciudad del Cabo	Кейптаун	开普敦
Colónia	2	Cologne	Colonia	Кёльн	科隆
Coreia do Sul, a	20	South Korea	Corea del Sur	Южная Корея	韩国
Espanha, a	2	Spain	España	Испания	西班牙
Estados Unidos, os	2	United States	Estados Unidos	Соединённые Штаты	美国
Estocolmo	2	Stockholm	Estocolmo	Стокгольм	斯特哥尔摩
Europa, a	18	Europe	Europa	Европа	欧洲
Filipinas, as	2	Philippines	Filipinas	Филиппины	菲律宾
Finlândia, a	4	Finland	Finlandia	Финляндия	芬兰

PORTUGUÊS		INGLÊS	ESPANHOL	RUSSO	MANDARIM
França, a	2	France	Francia	Франция	法国
Grã-Bretanha, a	18	Great Britain	Gran Bretaña	Великобритания	大不列颠
Grécia, a	2	Greece	Grecia	Греция	希腊
Helsínquia	AC	Helsinki	Helsinki	Хельсинки	赫尔辛基
Holanda, a	AC	Netherlands	Holanda	Голландия	荷兰
Índia, a	2	India	India	Индия	印度
Inglaterra, a	2	England	Inglaterra	Англия	英国
Irlanda, a	4	Ireland	Irlanda	Ирландия	爱尔兰
Itália, a	2	Italy	Italia	Италия	意大利
Japão, o	2	Japan	Japón	Япония	日本
Líbano, o	39	Lebanon	Líbano	Ливан	黎巴嫩
Lisboa	2	Lisbon	Lisboa	Лиссабон	里斯本
Londres	2	London	Londres	Лондон	伦敦
Macau	7	Macao	Macao	Макао	澳门
Maldivas, as	38	Maldives	Maldivas	Мальдивы	马尔代夫
Marrocos	2	Morocco	Marruecos	Марокко	摩洛哥
México, o	2	Mexico	México	Мексика	墨西哥
Milão	2	Milan	Milán	Милан	米兰
Mongólia, a	21	Mongolia	Mongolia	Монголия	蒙古
Moscovo	2	Moscow	Moscú	Москва	莫斯科
Noruega, a	R13/16	Norway	Noruega	Норвегия	挪威
Nova Iorque	2	New York	Nueva York	Нью-Йорк	纽约
Pequim	2	Beijing	Pekín	Пекин	北京
Polónia, a	2	Poland	Polonia	Польша	波兰
Portugal	2	Portugal	Portugal	Португалия	葡萄牙
Roma	2	Rome	Roma	Рим	罗马
Rússia, a	2	Russia	Rusia	Россия	俄罗斯
Suécia, a	2	Sweden	Suecia	Швеция	瑞典
Suíça, a	AC	Switzerland	Suiza	Швейцария	瑞士
Tóquio	2	Tokyo	Tokio	Токио	东京
Turquia, a	31	Turkey	Turquía	Турция	土耳其
Ucrânia, a	2	Ukraine	Ucrania	Украина	乌克兰
Varsóvia	2	Warsaw	Varsovia	Варшава	华沙
Veneza	2	Venice	Venecia	Венеция	威尼斯
Xangai	5	Shanghai	Shanghái	Шанхай	上海